LES ADIEUX
À LA REINE

Chantal Thomas a publié des essais sur Sade (Seuil et Rivages), Casanova (Denoël), Thomas Bernhard (Seuil). Elle a également écrit *Comment supporter sa liberté* et *Souffrir* (Rivages), un livre de nouvelles, *La Vie réelle des petites filles* (Gallimard), un essai sur Marie-Antoinette, *La Reine scélérate, Marie-Antoinette dans les pamphlets* (Seuil) et un roman, *Les Adieux à la reine* (Seuil), traduit dans de nombreux pays. Elle est l'auteur d'une pièce de théâtre : *Le Palais de la reine* (Actes Sud-Papiers). Chantal Thomas est actuellement directrice de recherches au CNRS.

TEXTE INTÉGRAL

ISBN 2-02-086862-8
(ISBN 2-02-061709-9, 1re publication poche
ISBN 2-02-041477-5, 1re publication)

© Éditions du Seuil, septembre 2002

PROLOGUE

Vienne, 12 février 1810

Je m'appelle Agathe-Sidonie Laborde, un nom rarement prononcé, presque un secret. J'habite à Vienne, dans le quartier des émigrés, un appartement de la *Grashofgasse*. Les fenêtres ouvrent sur une cour pavée, qu'entourent au rez-de-chaussée plusieurs échoppes, un bouquiniste, un perruquier, un petit imprimeur, un réparateur de violes. Il y a aussi un marchand d'épices, juste en bas de mon immeuble. Le lieu est animé, sans être trop bruyant. Aux beaux jours, il y flotte toujours, avec les senteurs d'Orient, des notes de musique. Les rosiers qui serpentent sur les façades ajoutent un charme de jardin à ce coin viennois. Mais dans le plein hiver où nous sommes actuellement, les rosiers n'ont plus de fleurs et les bruits de la vie des échoppes ne me parviennent plus. D'une façon générale, pour moi, quelle que soit la saison, les bruits de la vie sont bien éteints. Cet hiver terrible qui m'environne, cette neige perpétuelle et ce sentiment d'ensevelissement qu'elle produit, je les ressens comme la manifestation de mon grand âge, comme la marque extérieure de l'hiver profond et définitif qui me gagne.

Aujourd'hui, 12 février 1810, j'ai fêté mes soixante-cinq ans. Fêter convient mal à l'atmosphère de la réunion qui s'est tenue dans ma chambre, avec quelques personnes de mon âge, des Français exilés, rescapés comme moi de l'effondrement de ce monde qu'on nomme « l'Ancien Régime ». La neige n'arrête pas de tomber. Mes fidèles amis sont arrivés tout mouillés, puisque hélas ! la nécessité de se servir d'une canne exclut l'usage du parapluie. C'est le moindre des malheurs de la vieillesse ! J'ai mis à sécher devant la cheminée leurs habits trempés. Les dames se sont recoiffées, remaquillées, et l'on m'a offert mes cadeaux : des fleurs en soie sauvage, un éventail et une minuscule boîte ovale qu'ils m'ont priée de n'ouvrir qu'après leur départ. J'ai gardé sur mes genoux les fleurs et l'éventail tandis que nous buvions du café et mangions des pâtisseries. Comme d'habitude, et à l'unisson avec toute l'Europe, nous avons parlé de Napoléon, haineusement certes, mais d'une haine mesurée, à la différence de celle, véritablement enragée, qui anime une grande partie de la société viennoise. Nous l'avons vu débarquer ici en vainqueur au mois de juillet dernier, après les batailles d'Essling et de Wagram. Nous avons subi les bombardements, la pestilence de sang, de mort, de charnier, l'horreur de ces milliers de blessés répartis un peu partout dans la ville, et dont les cris de douleur, les râles d'agonie faisaient le fond sonore de nos habitudes quotidiennes. Nous subissions aussi l'espionnage, les rapines, la violence d'être occupés. Mais cette armée venait de France, nous avions du mal à la détester. Nous étions en butte à l'arrogance de ses soldats sans pouvoir les considérer comme des ennemis. En même temps, ces jeunes gens qui parlaient notre langue, qui pouvaient être les fils de nos enfants, nous étaient étrangers, douloureusement étrangers. Ce n'était pas seulement leur attitude hostile à notre égard, c'étaient leurs manières. « Ils marchent comme lui », m'avait fait remarquer quelqu'un. Et c'était vrai : ils marchaient tous trop vite. Raides, frappant des talons, ils avaient des allures d'automates. Les officiers de Napoléon le miment dans sa façon de marcher, ils l'imitent aussi dans sa parole, dans sa façon brusque de s'adresser aux gens (il n'y a que son accent que, jusqu'à maintenant, personne ne s'efforce d'imiter). L'Empereur, sans aucun préliminaire, pose de but en blanc la question la plus directe. Il ne converse pas ; il tire à bout portant. Notre idéal fut la conversation de salon, son sens de l'allusion, du sous-entendu, son art de faire briller l'interlocuteur, de ne jamais mettre en avant son propre savoir, de jouer avec des riens et de faire avec ces riens, le temps d'un échange, des merveilles d'intelligence et de bonheur. Le sien est l'interrogatoire de police. Il doit garder un excellent souvenir de sa « conversation » avec Friedrich Staps, l'étudiant qui, armé d'un couteau de cuisine, a tenté de l'assassiner à Schönbrunn, au mois d'octobre.

— Vous repentez-vous ?
— Non.
— Le feriez-vous encore ?
— Oui.

S'il n'avait eu à le condamner à mort, il aurait volontiers continué un peu plus longtemps ce dialogue. Le jeune homme lui ressemblait, comme Charlotte Corday ressemblait à Marat. Les terroristes s'attirent… Civilisation du poignard, de la baïonnette et du canon. Autrefois, un homme se piquait d'être la fleur de la courtoisie. Lorsqu'il lui arrivait de faire la guerre, ou de se livrer à des activités militaires, il ne s'en vantait pas. Ainsi, jamais un soldat ne se serait présenté à la Cour en uniforme. Il se changeait auparavant, même s'il avait à apporter la nouvelle d'une victoire et à mettre aux pieds du Roi le drapeau arraché à l'ennemi. De même, entre le cordon bleu de l'Ordre du Saint-Esprit et le cordon rouge de l'Ordre de Saint-Louis, qui récompensait un exploit guerrier, quel homme bien né aurait hésité ? C'est l'obtention du cordon bleu qui emplissait de la plus grande fierté.

Pendant mon anniversaire, tout en nous chauffant aux flammes d'un bon feu et en prêtant une oreille satisfaite au crépitement des bûches entre les chenets, nous avons déploré les derniers projets de l'Empereur, lesquels, pour être pacifiques, ne déparaient pas la liste déjà colossale de ses crimes. Il se propose, disent certains, d'habiter un mois par été le château de Versailles, bien qu'il le trouve trop petit et difforme, « un monstre affreux » qui, en plus, lui coûte une fortune à entretenir. Il a décidé d'y faire des séjours, après avoir eu le front de déclarer : « Pourquoi la Révolution qui a tant détruit n'a-t-elle pas démoli le château de Versailles ? » Mais, selon d'autres bruits, Napoléon aurait le projet de faire raser les bosquets, enlever les statues et de remplacer tout cela par des monuments commémorant ses victoires… Nous avons repris du gâteau, exquis, et nous avons continué de déplorer… Des monuments à ses victoires… Cela ne lui suffit pas de songer à épouser la petite-nièce de la reine Marie-Antoinette, Marie-Louise, « l'Autrichienne », comme il la nomme avec élégance, il faut aussi qu'il occupe le château. Qu'il mette son N partout. Il a ordonné que son initiale soit gravée sur tous les fusils de chasse de Louis XVI, lui qui ne fait pas la différence entre une chasse à courre et une chasse aux lapins. « Quand on chasse les rois, il ne faut pas chasser le cerf », comme se moque le prince de Ligne… Au cas où il n'aurait pas la sœur du tzar, je me demande si Vienne acceptera une horreur pareille, si monsieur de Metternich livrera la pauvre archiduchesse au bourreau de son pays. Dans cet enfer de la guerre, dans la menace des bandes armées, du pillage, dans cette banalité des viols et des assassinats, la prétention de Napoléon à la légitimité est presque ce qui me choque le plus… presque… car ce qui me choque vraiment, ce qui m'attriste, me désole, n'est pas à trouver dans nos paroles d'indignation, ne participe pas de ces concerts d'exécration auxquels nous nous livrons régulièrement. Ce qui m'atterre tient à ce que nous taisons. À la façon hypocrite dont nous nous sommes rangés au mot d'ordre de silence sur Louis XVI et Marie-Antoinette imposé à Vienne et partout dans les cours étrangères. Mais c'est certainement ici, à Vienne, qu'il est respecté avec le plus de rigueur. Ne pas s'y plier, prononcer les noms interdits produit une gêne affreuse. Pour le pauvre Louis XVI, la gaffe est grave mais elle est surmontable, pour Marie-Antoinette, la faute est impardonnable. C'est chez elle, dans sa famille, dans sa ville, que son souvenir est le plus férocement supprimé. De cela, de cette seconde mort, on ne peut accuser Napoléon. Au contraire… Et nous, avec nos déplorations bruyantes, nous ajoutons à l'œuvre d'effacement. Bruyantes ? J'exagère. Je souhaiterais que nous fussions encore capables de bruit.

Auprès du feu, tout à l'heure, nous formions un demi-cercle. Nous étions presque coude à coude tant nos fauteuils étaient rapprochés. Comme nous parlions du malheur de survivre parmi des décombres, « survivre, c'est quand même vivre », a dit une amie ; mais elle prononça les mots si bas qu'il était difficile d'y croire… C'était à peine la fin de l'après-midi, il faisait presque nuit. Il était temps pour mes invités de rentrer chez eux. Et c'est alors que, dans la cour, un groupe d'écoliers est venu chanter. Leurs voix étaient extraordinairement claires. Elles s'élevaient avec la même vigueur et la même joie qu'ils mettent à courir, ou à patiner sur la glace…

À nouveau seule, j'ai ouvert mon dernier cadeau. Un tel nombre de couches de papiers l'enrobaient que j'ai d'abord pensé que ce n'était que cela, une superposition de papiers de couleur. Mais lorsque j'ai trouvé la petite boîte en argent, elle m'a révélé une merveille. J'avais un cadeau en forme de miracle : un pendentif à entourage émaillé sur lequel était peint en miniature un œil bleu ardent, presque turquoise, de la brillance d'une pierre, avec sur la pupille une infime humidité, comme d'une rosée. Je refermai ma paume et laissai advenir, né du bleu de ses yeux, le visage entier de la Reine, son visage pour moi...

L'interdit de nommer est l'un des pactes de notre société de survivants, et, en compagnie, je le respecte. Mais, face à moi-même, pourquoi aurais-je peur des mots, des fantômes qu'ils ressuscitent et de cet inconnu auquel, parfois, ils nous confrontent ? Il est vrai que, chez moi, les fantômes occupent toute la scène. Dans la vie comme dans les rêves, que ceux-ci soient changeants ou répétitifs. Ainsi, « le Rêve du Grand Degré », comme je l'appelle. Il comporte des variantes, en particulier les visages sont plus ou moins éloignés, mais, dans l'ensemble, il revient toujours pareil. Debout, échelonnés sur de larges marches, se dressent plusieurs personnages de la Cour. Leurs habits sont superbes, avec quelque chose d'empesé qui entrave le mouvement. Certains s'appuient sur une canne, d'autres non. Ils ne forment pas de groupes. Chaque personnage est isolé, légèrement séparé de son voisin. De tous, cependant, la silhouette est absolument nette. Ils se tiennent là, en rebord de rien. « Le Rêve du Grand Degré » me hante. J'ai l'impression que ses personnages m'attendent, qu'ils ne sont jamais loin de moi, invisibles, muets – qu'ils constituent, eux, ma vérité, alors que les quelques survivants que je fréquente n'en sont que l'illusion. Leur regard m'oppresse. J'essaie de me distraire, je brode, j'écris des lettres, je lis des journaux, des livres, toutes les publications en français qui me tombent sous la main, mais ils ne desserrent pas l'étau. Ils pèsent sur moi de tout leur poids de néant. « Le Rêve du Grand Degré » m'est devenu familier, sans que se calme l'insatisfaction dont il s'accompagne. Car les visages sont presque déchiffrables, mais pas complètement. Je sais que je les ai connus, mais je n'arrive pas à mettre un nom sur eux.

J'ai vécu à Versailles, où j'étais Lectrice de la reine Marie-Antoinette, Lectrice-adjointe, pardon. C'était une toute petite fonction, rendue encore plus mince par le peu de goût de la Reine pour la lecture. Mon protecteur, monsieur de Montdragon, Maître d'hôtel ordinaire à la Cour, m'avait accueillie avec une extrême gentillesse, sans manquer cependant de m'avertir. C'était un jour de la fin décembre, un jour de plein hiver comme aujourd'hui, mais sans neige. Il y avait une lumière coupante, presque métallique. Les arbres aux troncs noirs se dessinaient sur un ciel très bleu. Au château, se risquer dans les intervalles qui séparaient les feux de cheminée – et les zones enfumées, irrespirables et aveuglantes qu'ils produisaient –, c'était se trouver paralysé à l'intérieur d'un bloc de glace. Il fallait continuer de bouger, sinon on risquait de périr. Enveloppé dans sa pelisse de loup, monsieur de Montdragon m'examinait. À ma première réponse, timide, tandis que je ne pouvais me retenir de remuer les doigts pour les empêcher de s'engourdir, il m'avait jugée apte pour mes fonctions. « Vous avez une belle voix, m'avait-il dit, un peu basse et qui se fait oublier. » Et un peu plus tard, comme il observait ma gêne, il avait ajouté : « Allez-y, ma chère dame, battez des mains, c'est une manière plus sûre et plus franche de vous les réchauffer. » J'avais donc applaudi, sans bruit, à la suite de l'entretien. Mon protecteur m'avait indiqué en quoi consistaient les fonctions de Lectrice-adjointe de la Reine. « En résumé, et pour l'essentiel, je les qualifierai de nulles. Mais vous savez lire au moins ? m'avait-il demandé, soudain saisi d'une inquiétude. Remarquez, d'ici à ce que la Reine vous fasse appeler, vous avez amplement le temps d'apprendre, et quand bien même elle vous découvrirait analphabète, je suis certain qu'elle ne le prendrait pas en mal. Sa Majesté est pour tout ce qui l'approche d'une bonté illimitée. On ne peut se représenter jusqu'où elle pousse, dans sa Maison, la vertu de patience… Quant au détail des obligations, madame de Neuilly, Lectrice de la Reine, vous mettra au courant, si elle y pense, car lorsqu'elle vient à Versailles, elle est, vous l'imaginez bien, accaparée par les visites, les solliciteurs… » Je n'imaginais rien. J'avais les yeux et l'esprit tout éblouis de l'or qui m'entourait. Il me semblait être entrée dans le royaume de la Beauté. Je remerciai monsieur de Montdragon, il termina l'entretien et, ne songeant pas combien Versailles pouvait être pour une nouvelle venue un autre monde, me laissa là, dans ce petit cabinet tendu de soie jaune. À la fois bouleversée de timidité et enthousiasmée par cette incroyable splendeur que je devinais, je restai assise sur un canapé, j'attendais. Enfin je me risquai à sortir, à faire quelques pas, je m'arrêtai à une porte vitrée qui donnait sur une immense galerie. Cette impression d'avoir été transportée dans un château tout en or et pierres précieuses se continuait. Si l'on m'avait dit que les ardoises du toit du château de Versailles étaient en réalité des plaques d'onyx, je l'aurais cru…

Je suis arrivée en 1778, l'année de la première grossesse de la Reine : le bonheur qu'elle espérait depuis huit ans, et vers lequel dans toutes les paroisses et dans tous les couvents de France, dans le plus perdu des monastères, convergeaient les prières. C'était, aux yeux du public, l'année de sa véritable accession à la royauté, la seule justification de la place qu'elle occupait. Comme chacun, je savais l'heureuse nouvelle, et qu'au mois de décembre – celui de mon arrivée – la Reine en était à son neuvième mois. Je savais tout cela, et qu'en tant que lectrice j'aurais l'occasion d'être un jour en sa présence. Pourtant la première vision que j'ai eue de Sa Majesté m'a plongée dans un état de ravissement inouï. Comme si cette vision m'advenait par le plus grand des hasards – contre toute vraisemblance.

La Reine, immense, énorme, habillée d'une robe de lainage blanche très ample, la tête étrangement enturbannée d'une soie bleu vif cousue de camées, sur laquelle étaient piquées en aigrette plusieurs plumes de paon, marchait d'un pas vigoureux, à l'avant d'un groupe de femmes qui s'épuisaient à vouloir la suivre. Elle marchait comme si elle était en pleine campagne, alors qu'elle se trouvait dans une galerie fermée et qu'au rythme de cette marche – qui, je l'appris ensuite, lui avait été recommandée par son médecin – elle atteignait l'extrémité en quelques enjambées, tournait sur elle-même, reprenait le parcours avec la même avidité à dévorer l'espace… De surprise, je vacillai. Mes jambes défaillaient, mon visage brûlait. Cette apparition avait quelque chose d'incroyable, un élément de fantastique qui devait marquer à jamais toutes les images qui lui ont succédé. Je crus voir un feu se mouvoir.

J'ai demeuré onze ans en ce château, « en ce pays-ci », comme on disait pour désigner la Cour, sans jamais m'y habituer mais en incorporant comme une nécessité vitale son étrangeté. Onze ans… lorsque j'y pense maintenant, cela me semble très loin, étant donné ce qui me sépare de cette époque : le trait de sang de la Révolution. Mais aussi très proche, sans doute parce que la vie là-bas ne ressemblait à rien d'autre. Le temps, purement cérémonial, y passait autrement, selon des repères singuliers. Sa vraie division n'était pas en termes d'années, ni de mois, ni même de semaines, mais de journées. Il y avait une Journée Parfaite dont le déroulement avait été déterminé plus d'un siècle auparavant par Louis XIV : Prières, Petit Lever, Grand Lever, Messe, Dîner, Chasse, Vêpres, Souper, Grand Coucher, Petit Coucher, Prières, Petit Lever, Grand Lever… Chaque journée, depuis, devait la répéter. À Versailles, les jours se suivaient, identiques. C'était, dans l'absolu, la Règle. Mais la réalité ne cessait d'y apporter des obstacles. La répétition n'était jamais complètement réussie. Nous étions condamnés au déclin. La vie à Versailles ne pouvait aller qu'en se dégradant… De minces modifications en anicroches, de réformes en bouleversements, on aboutit ainsi à ces journées de juillet 1789, qui virent la capitulation du Roi et la dispersion de la Cour – l'effondrement, en moins d'une semaine, d'un ensemble de rites que j'avais cru définitifs. En tout cas, cette première vision de la Reine, que depuis nulle peinture ou sculpture de déesse n'a atténuée, m'avait installée d'emblée dans un monde éternel. À Versailles, les jours se suivaient et se ressemblaient. C'était la Règle et j'y croyais.

Mais je n'étais pas seule à être ainsi obnubilée. Quand on disait la Cour, on voulait dire la Cour de Versailles. Elle était le modèle par excellence, vers lequel toutes les capitales : Saint-Pétersbourg, Berlin, Rome, Londres,

Madrid, Varsovie, Vienne, etc., avaient les regards tournés. On n'ignorait pas qu'en dépit des efforts ruineux d'assèchement des marécages, le château de Versailles avait été construit dans un lieu malsain, qui continuait de l'être. On n'ignorait pas les épidémies, les fièvres, ni la puanteur. Avec la chaleur, elle se répandait partout dans les salles. « Phénomène tout à fait naturel d'exultation des chaises percées », disait-on au visiteur de passage sur le point de se trouver mal. Et les femmes agitaient la tête, avec un joli mouvement de chèvre voulant se dégager de son lien. Pour éloigner l'odeur fétide, elles jouaient un peu plus vite de leur éventail. Exultation !... On suffoquait ! Et l'on observait avec terreur sur la peau blanche d'une élégante les pustules que des piqûres d'insecte avait semées sur sa gorge.

Marie-Thérèse, l'épouse de Louis XIV, avalait des araignées tombées dans son chocolat.

Marie Leczinska, l'épouse de Louis XV, criait, assiégée par les souris. Et ses petits cris (la Reine juchée sur un fauteuil dont elle refusait de descendre), dans les débuts de leur mariage, charmaient Louis XV. Jusqu'à ce qu'il se lasse de la pauvre Marie et de ses frayeurs et l'abandonne, avec un haussement d'épaules : « Puisque je vous dis, Madame, qu'il n'y a rien à faire. »

Marie-Antoinette avait une horreur particulière des puces et des punaises. Elle avait entrepris, à l'aide de produits qu'elle faisait venir de Vienne dans des cassettes que l'on aurait dit de trésors, une lutte méthodique. On mettait son horreur des puces au nombre de ses extravagances d'étrangère, comme cette habitude qu'elle avait de se laver avant de se maquiller...

Nous endurions tout cela sans mot dire, piqûres, morsures, boutons, humeurs morbides, bizarres enflures, tumeurs suspectes. Nous souffrions sans nous plaindre les multiples désagréments de nos corps, y compris, ce qui m'était spécialement odieux (mais ce dont la majorité des courtisans ne se souciait pas), un pullulement de rats inconcevable, car il traînait de la nourriture un peu partout dans les appartements, tombée sous les meubles, oubliée dans les draps, ou tout naturellement à pourrir dans les armoires de provisions ou sur les réchauffoirs installés dans les recoins de fenêtre, les paliers et dessous d'escalier. Les rats adoraient Versailles. Ils y faisaient la nuit un sabbat infernal et s'établissaient en maîtres dans certains logements, dont plancher et meubles étaient ravagés… On aurait pu aussi se plaindre d'étouffer ; dehors, à cause des effluves venus des restes de marécage, dedans, à cause des foules pressées dans des espaces trop petits. Et s'il était bien un lieu d'asphyxie, c'était le château de Versailles. Pourtant aucun de ces maux n'avait d'importance pour nous-mêmes, ni pour le reste du monde, envieux de notre place.

Nous étions à Versailles.

Là où régnait la Fortune et où, sur le mot d'un ministre, ou d'un courtisan écouté, votre destin pouvait, du jour au lendemain, se renverser. Pour le meilleur comme pour le pire.

Là où dominait le meilleur ton, où l'on faisait le mieux la révérence.

Là où se décidait la Mode. Et tant pis si l'on portait parfois des dentelles mangées par les souris : elles inventaient, malignes, un point nouveau.

Là où, jusque dans les parties du parc les moins fréquentées, au plus loin d'une allée, à l'entrée d'un bois, un détail de beauté toujours pouvait apparaître : l'invite ambiguë d'une statue, la coupe de fleurs et de fruits, sculptée dans la pierre et posée contre le ciel.

Là, surtout, où habitait la Reine.

Et certains matins, dans la demi-conscience qui précède le réveil, quand je peux laisser durer cet état de douce confusion, je fais comme si j'étais encore là-bas, je crois toucher du doigt la cloison de ma chambre, me retourner dans mon lit, sentir à nouveau l'épais volume de mes cheveux contre mon oreiller, et je me dis qu'à quelques chambres de la mienne elle respire.

Versailles m'a tenue sous son charme. Et je n'étais pas la seule. Ce n'était plus, sans doute, le lieu sacré qu'il avait été sous le sceptre de Louis XIV. Mais Versailles continuait de fasciner. N'importe où, il suffisait de commencer par ces mots : « J'étais à la Cour… » et le monde retenait son souffle, vous regardait autrement. On ne se représente plus la violence des blessures d'amour-propre « en ce pays-ci ». L'humiliation que c'était pour un courtisan, après avoir attendu des heures dans une antichambre, de constater qu'il ne serait pas appelé pour le Souper du Roi en Petit Cabinet. Sa honte était une chose palpable. Je la lisais sur les visages, dans la démarche de ceux qui avaient été éconduits et qui regagnaient leurs carrosses par les cours intérieures pour échapper aux regards. Ce que je ne voyais pas, c'était avec quelle joie les « nommés » se glissaient dans l'entrebâillement de la porte pour se rendre dans le sanctuaire. Mais je pouvais l'imaginer… Et même ensuite, sous le Consulat, alors que la Cour se tenait chez Joséphine et que Bonaparte se présentait comme un républicain modèle, même alors, la passion pour Versailles n'était pas éteinte. Dès que les soirées officielles étaient terminées, ils regardaient si les portes étaient bien fermées et se disaient entre eux : « Causons de l'ancienne Cour, faisons un tour à Versailles, dites-nous, monsieur de Montesquiou, racontez-nous, monsieur de Talleyrand… » Et les plus jeunes rapprochaient leurs chaises pour écouter les histoires… Ils faisaient comme nous, ici.

Je tiens à noter ceci, à rappeler cette magie, aujourd'hui, alors qu'une propagande tend à stigmatiser en Versailles un gouffre de dépenses inutiles, ou bien à en parler comme d'un théâtre mort, un paysage de poussière et de cendre, déjà voilé par le pressentiment de la fin. Marionnettes à la tête poudrée, vieillards avant l'âge, fantoches voués à disparaître… Du point de vue des gagnants, ceux qu'ils ont vaincus et dépassés n'avaient de toute façon aucune existence digne de ce nom, aucun futur. L'arrogance des jeunes gens serait touchante si elle ne débouchait pas si souvent sur la brutalité.

J'en suis convaincue – et ce ne sont pas les dernières images que j'emporterai de ce monde qui pourraient me persuader du contraire –, l'humanité ne progresse pas. Elle redispose autrement, selon d'autres convenances, d'après des aspirations différentes. Le système de la hiérarchie des castes avait ses défauts, mais celui de l'oppression par l'argent ne me semble pas préférable. L'obsession de s'enrichir… Il existe des banques maintenant. Ce sont, paraît-il, de petites forteresses situées au centre de certaines capitales, et qui, vues du dehors, ne se distinguent pas d'une maison normale. Il est très curieux d'essayer de se les représenter. J'ai sans doute vu des banques sans le savoir… Mes parents étaient pauvres. Lorsque ma mère, sans une ombre d'acrimonie et mue par le seul souci de conserver vivants quelques-uns de ses enfants, se permettait de montrer à mon père le dénuement de notre famille, celui-ci, qui était très pieux et nous chérissait, avait un sourire. Détournant les yeux de notre misère, il les élevait vers une lucarne et disait : « La vie n'est-elle pas plus que la nourriture, et le corps plus que le vêtement ? Regardez les oiseaux du ciel : ils ne sèment, ni ne moissonnent, ni n'amassent dans les greniers, et votre Père céleste les nourrit ! Ne valez-vous pas, vous, beaucoup plus qu'eux ? Et du vêtement pourquoi être en souci ? Observez les lis des champs, comme ils croissent : ils ne peinent ni ne filent. » Ma mère regardait, comme lui, vers la fenêtre sans carreaux. Elle souriait du même sourire… Les lis des champs sont piétinés et repiétinés par les soldats. S'il est un progrès, de nos jours, il ne peut être que dans les armes. Désormais, on tue plus vite et en plus grande quantité… Il y a eu quarante mille morts pour la seule bataille d'Essling, quarante mille morts en trente heures de combat… L'esprit défaille. Oui, les machines à tuer se perfectionnent. À part cela, je ne vois pas…

Le château de Versailles, symbole sacré, point de mire de tant de désirs, a été abandonné dès juillet 1789, aux premières menaces. Tout s'est joué très vite. Louis Sébastien Mercier, un démocrate, un Parisien, aggravé d'un homme de théâtre, mais aussi un esprit honnête, que traversent des intuitions justes, a écrit : « La Révolution aurait pu s'arrêter le 18 juillet après que Louis XVI eut pris et baisé la cocarde nationale sur le balcon de l'Hôtel de Ville. » Je dois convenir qu'il a raison. Tout s'est décidé entre le samedi 11 juillet, date du renvoi de Jacques Necker, directeur général des Finances, et le vendredi 17, le jour de l'abaissement du Roi à Paris et du reniement de la royauté. Le 16 juillet le gouvernement Breteuil était renvoyé, Necker rappelé. Le même jour la Cour s'enfuyait… Que la défaite s'est décidée alors et qu'elle était irrémédiable, Louis XVI l'a compris, mais trop tard. En 1792, il avouera au comte de Fersen : « J'aurais dû partir le 14 juillet. J'ai manqué le moment, et puis je ne l'ai pas retrouvé. » Il ne l'a pas retrouvé, en effet ; tandis qu'autour de lui et de la Reine le moment, par contre, fut trop vite saisi. La Cour, les amis, les parents se sont dispersés en un clin d'œil. Les princes, les courtisans sont partis pour Londres, Turin, Rome, Bâle, Lausanne, Luxembourg, Bruxelles… Moi-même, j'ai été emportée dans le flux de cette débâcle. Je suis partie sans réfléchir, sans me demander ce que je faisais. Je me suis contentée d'obéir… sans doute… Devrais-je m'en sentir consolée ? « Les Couchers du Roi sont bien déserts », se plaignait la Reine. C'est, tout à coup, le château entier qui l'est devenu. Nous avons abandonné le navire aux premiers craquements. Nous avons fui.

Je voudrais faire le récit de cette défaite, si rapide, totale, mais demeurée comme secrète. Une défaite feutrée en quelque sorte… Un silence consterné, quelques apartés, des ordres donnés, des seigneurs qui se déguisent en domestiques, et des voitures au galop sur les chemins. Il n'y avait pas de lune en cette nuit du 16 juillet 1789 et, lorsque je me suis retournée sur Versailles, le château, caché par la forêt encore plus sombre que le ciel, avait disparu… Je voudrais raconter cette désertion. Pour apaiser les intrus de mes nuits et adoucir l'isolement de mes jours, dans ma chambre, cet enclos de silence, de veille et d'écriture, que je ne quitte plus guère, et que je nomme, à mes heures, « mon château de Solitude ». J'accueillerai tout ce qui me reviendra à la mémoire, ces fragments d'un monde naufragé que je n'aurai pas le cœur de tuer, d'une rature, une seconde fois. Je ne cesse de prendre et reprendre en esprit les mêmes faits, de les métamorphoser au gré de mes songeries, tandis que d'autres, peut-être plus essentiels, se sont effacés. J'ai cette excuse : je parle d'il y a longtemps – d'un temps qui ne conduisait à rien et surtout pas à ce sinistre XIXe siècle, dont, par simplisme numérique et leurre rétrospectif, on le réduit à n'être que l'antichambre.

Versailles, 14 juillet 1789

La première messe (six heures du matin).

C'était un matin un peu frais pour un mois de juillet, voilà ce que je me disais, je crois, montée sur un escabeau, la tête passée à travers la fenêtre mansardée de ma chambre, scrutant un ciel de pluie. Je m'habillai rapidement. J'enfilai des bas d'hiver et glissai, par-dessus le jupon de coton épais avec lequel j'avais dormi, une robe violet sombre presque noire. J'ajoutai un paletot gris, un foulard et empoignai un grand parapluie. Pour le missel, je n'avais pas à le prendre, il était toujours dans la poche de ma robe ; je le déplaçais quand je changeais de robe. Je me hâtai vers l'église Saint-Louis pour y entendre la première messe. Je connaissais le chemin par cœur, cela ne m'empêcha pas de me tromper et de continuer trop loin par la rue de la Chancellerie, au lieu de prendre à droite tout de suite par la rue des Récollets. Erreur légère certes en termes de distance, mais dont je sentis la gravité en atteignant les abords du marché. Des grappes de miséreux y végétaient dans la pourriture et la crasse. Ils étaient prêts à tout pour améliorer un ordinaire constitué des pires déchets, des immondices que les chiens n'auraient pas mangés : il leur arrivait de se battre pour boire l'huile

dans laquelle baignaient les mèches des réverbères. Je
ne les voyais pas, mais je les devinais, massés contre
des baraquements, disséminés, cachés dans tout ce qui
pouvait servir d'abri, ou simplement couchés ivres
morts dans le ruisseau. Je marchais le plus vite possible. Je dérapai sur ce qui me sembla être quelques
pelures de légumes et lâchai ma robe un peu trop
longue, dont l'ourlet, par ce mouvement, trempa dans
la boue, dans l'horrible mixture de crasse et de sang où
baignait cet agglomérat de baraques. Ça bougeait tout
près de moi, il y avait des trafics, des voix d'hommes.
J'aurais dû faire attention, ne pas traverser seule et dans
le jour gris qui ne se levait pas, ce mauvais quartier du
Parc-aux-Cerfs.

Lorsque j'atteignis l'église Saint-Louis, j'avais le
cœur battant et m'absorbai avec ferveur dans la prière.
Il nous était recommandé de beaucoup prier pour le
salut du royaume et pour l'âme du Dauphin, ce pauvre
enfant, décédé le 4 juin. Le Roi avait ordonné mille
messes pour l'âme de son fils. Je priai passionnément,
avec le sentiment confus qu'il y avait un lien entre la
mort du fils aîné du Roi et quelque chose d'inquiétant
qui menaçait la France. Malgré l'heure matinale,
l'église était pleine. Le long des rangées, des silhouettes
sombres, agenouillées, chuchotaient. Les cierges éclai-
raient en bordure, c'était d'eux et non des vitraux qu'un
peu de lumière venait. Le prêtre monta en chaire. Ce
n'était pas l'abbé Jean-Henri Gruyer, vicaire de Saint-
Louis, mais l'abbé Bergier, confesseur de la Reine, du
comte de Provence, frère du Roi, et de son épouse. Tout
ce que ce prêtre savait, et taisait ! À travers ses mots,
j'essayai de distinguer un autre message, subtil, qu'il
nous aurait indirectement révélé, d'après ce qu'il avait
appris dans le secret de la confession. L'abbé Bergier,
bien sûr, ne laissa rien passer. Sur le ton plutôt sec et

exceptionnellement modeste qui était le sien, il fit l'apologie de saint Bonaventure, dont c'est, le 14 juillet, la fête.

Pour rentrer au château je pris le bon chemin, le long du Potager du Roi puis par la rue de la Surintendance. Ce trajet pouvait paraître plus sûr, de l'extérieur ; en fait, il m'émut encore davantage. Dans cet ancien quartier, qui avait été autrefois le village de Versailles, s'étaient logés beaucoup de députés du Tiers État. La perspective de croiser ces hommes en habit triste et qui parlaient entre eux comme d'autres gens se frappent n'avait rien d'engageant. Pourtant, je surmontai mon appréhension et réussis à parcourir toute la rue sans rien voir. Ce n'est que lorsque je touchai à la première grille du château que je me sentis assez en sécurité pour retrouver le don de la vue. Dans la Cour Royale, la relève de la garde se faisait. J'accompagnai en chantonnant la musique des trompettes et des tambours ; je pris au passage un broc d'eau dans la soupente de la petite Alice, femme de chambre de madame de Bargue (laquelle avait la chance d'avoir un appartement avec une fontaine), et rejoignis ma chambre pour me faire une grande toilette. Je changeai mes bas de laine contre des bas de filoselle, et remplaçai mon foulard par un châle écossais noir et blanc. Je me coiffai avec soin. Je voulais aussi mieux préparer l'ordre des lectures que j'avais prévues pour la Reine. J'en avais été avertie la veille : ce jour était un jour où elle me demandait.

Séance de lecture au Petit Trianon : *Félicie* de
Marivaux, fleurs et lueurs d'été, la Reine et son
Cahier des Atours (de dix heures à onze heures
du matin).

La Reine avait dormi au Petit Trianon, bien que le
mardi fût, traditionnellement, réservé à la visite des
Ambassadeurs, ce qui impliquait sa présence au château. Mais, semblait-il, ou bien il n'y aurait pas de
visites d'Ambassadeurs, ou bien la Reine ne se sentait
pas tenue de les accueillir... Je devais la rejoindre en
sa chambre même. Je m'en faisais une fête. Lorsqu'elle
était dans son domaine, il m'était possible de capter
son attention. Manifestement, elle était beaucoup plus
heureuse au Petit Trianon qu'au château de Versailles.
Chaque fois, à Trianon, dans le geste même par lequel
elle m'invitait à m'asseoir, je décelais une bonne
humeur et une gentillesse particulières. Au château, les
séances matinales de lecture se situaient juste avant
les entrées du Grand Lever. La Reine était encore en
déshabillé, assise dans le grand lit théâtral de la chambre
d'apparat. Elle me faisait signe de franchir la balustre,
j'ouvrais la petite porte et venais m'asseoir sur un étroit
tabouret à droite de son lit. Je la sentais angoissée, mal
réveillée, complètement inattentive. Elle était déjà, par
la pensée, soumise à la première cérémonie de sa journée. Et un peu de la rigidité, de l'image d'elle assurée,
distante et volontaire qu'elle se devrait d'incarner avait
commencé de la gagner. C'était comme si les rangées
de chaises et de pliants disposées à l'avance pour les
dames qui allaient assister à son Lever la surveillaient ;
comme si, par leur entremise, l'œil du public déjà était
posé sur elle et faisait peser ses contraintes. Ces

séances de lecture étaient toujours hâtives, officielles, subies. Elles indisposaient la Reine et me rendaient, intérieurement, misérable. Mais au Petit Trianon, ce « bouquet de fleurs » que lui avait offert le Roi, tout se déroulait autrement. Monsieur de Montdragon m'avait dit vrai : le ton distinctif quand on s'approchait de la Reine, quand on entrait dans l'atmosphère de sa Maison, était la douceur. Et pour qui connaissait également la Maison de Monsieur, de Madame, du comte d'Artois, ou de sa femme, la différence était remarquable. La Reine, chez elle, évitait de donner des ordres. Elle suggérait, indiquait, demandait chaque chose comme un service qu'on voudrait bien lui rendre et pour lequel elle serait infiniment reconnaissante. Elle était d'une parfaite politesse avec le moindre de ses serviteurs et ne manifestait jamais à leur égard d'impatience ni de brusquerie. Maternelle et volontiers joueuse avec ses jeunes pages, elle parlait à ses femmes sur un ton d'amitié et même de complicité. Était-ce un appel à un rapprochement, un oubli de qui elle était ? D'aucune façon et, d'ailleurs, personne ne s'y trompait, mais telle était la musique affective, affectueuse, dans laquelle elle désirait vivre. Cette douceur des relations, des gestes et du ton de voix prolongeait l'extrême élégance de tout ce qui la touchait – vêtements, meubles, décors. Entrant à Versailles, j'avais cru entrer dans le royaume de la Beauté. J'appris, en découvrant les domaines de la Reine, que cette beauté pouvait prendre un aspect plus personnel, subtil, délicat.

Ma visite était attendue. Je montai l'escalier de marbre qui conduisait au premier étage où était sa chambre. Je revois la courbe de l'escalier, les pots de faïence bleu et blanc posés sur les marches et dont la vue me donnait envie d'aller un jour en Hollande (j'aime infiniment les

moulins à vent), le couloir un peu étroit, à la mesure
de deux personnes se croisant à se frôler, les portes
avec écrits dessus à la craie – comme, en villégiature à
Marly, Fontainebleau, Saint-Cloud, dans les logements
réquisitionnés chez l'habitant et où logeaient les gens
qui n'avaient pas trouvé de place au château – les noms
des rares amis estimés dignes de passer la nuit au Petit
Trianon. Il y avait aussi, dans des encoignures, des
cagibis improvisés pour les domestiques, des planches
démontables sur quoi ils posaient un mince matelas
qu'ils roulaient dès leur réveil et dissimulaient. Au Petit
Trianon, comme à Trianon et au château, le jour effa-
çait les traces de la nuit. Mais pas chez elle, non, pas
dans sa chambre, pas dans le territoire privé qu'elle
marquait de sa douceur, de son parfum. Là, nuit et jour
se mêlaient, se continuaient, s'entrecroisaient. Et c'était
surtout vrai dans cette chambre du Petit Trianon, qui lui
était si chère parce qu'elle ne se confondait en rien avec
une scène officielle. Elle donnait sur un étang et sur le
Temple de l'Amour, que voilait en partie le premier
plan d'une petite forêt de roseaux. Forêt ? C'était ainsi
qu'elle désignait la dizaine de roseaux dont le bruissement, lorsque la fenêtre était ouverte, participait pour
moi de l'enchantement de la chambre du Petit Trianon.
Bruit d'eau et de roseaux, chansons des dentellières,
couseuses, fileuses et repasseuses qui travaillaient dans
la buanderie, et que la Reine aimait entendre. Voilà ce
qu'est dans ma mémoire la musique du Petit Trianon,
ce n'est pas celle des concerts pourtant nombreux qui
s'y succédaient. C'est la musique du jardin, et de voix
de femmes. Et pour les parfums ? Ils viennent d'abord
du dehors, comme la musique. Ils sont légers, et changent, au printemps, avec les floraisons du jardin. Mais
il en est un qui persiste, et traverse, identique, toutes les
saisons : celui du café qu'on apportait à la Reine pour

30

son petit déjeuner. Si j'arrivais dans le moment où elle le buvait, elle m'en faisait offrir. Et la saveur de ce café, noir, et très fort, qui était pour elle le goût de son réveil, s'unifiait pour moi, dans l'instant où il touchait ma gorge, au goût même de ma vie. Si je cherche bien, il est un autre parfum plus prégnant, d'une odeur très forte et très suave, et que je ne sentais que lorsque je venais au Petit Trianon. Mais j'avais peur de le respirer, parce qu'il touchait de trop près au corps de la Reine et aux soins qu'elle lui prodiguait. C'était une pommade à la fleur de jasmin, dont elle se faisait enduire la racine des cheveux. Cette pommade avait la vertu de les empêcher de tomber, et même celle de les faire pousser. Toutes les femmes désiraient s'en procurer, mais monsieur Fargeon, au *Cygne des Parfums,* à Montpellier, en gardait jalousement l'exclusivité pour la Reine.

Lorsqu'on me fit entrer, la Reine buvait son café. Le fond blanc et fleuri de la tapisserie de sa chambre, les énormes bouquets de dahlias dans les vases de cristal, la transparence des voilages finement brodés, tout tendait à faire oublier ce jour gris. Mais rien n'aurait agi sur moi sans le charme de son sourire, esquissé à mon entrée et qui, lorsque je me relevai de ma révérence, teignit du jaune le plus joyeux tentures, cloisons, tapis, miroirs, écritoire et clavecin, et jusqu'aux roses trémières qui se dressaient en gerbes claires autour des rideaux entrouverts de son lit.

– Comme c'est gentil à vous d'avoir fait le voyage jusqu'à Trianon pour venir me faire la lecture. Et de si tôt matin… Comment vous remercier ?

– Je ferais de beaucoup plus longs voyages, et avec quel empressement, si Votre Majesté le souhaitait.

– Je le sais, vous m'êtes entièrement dévouée. Et ce m'est un grand réconfort de penser à toutes ces personnes de bonne volonté prêtes à m'offrir leurs services.

Une femme de chambre me tendit une tasse de café. Dans mon émotion, je l'avalai trop chaud. La table était prête, et le tabouret sur lequel, quand elle m'en fit le signe, je m'assis. La gorge me brûlait. Je commençai mal, d'une voix qui me parut sans doute plus éraillée qu'elle ne l'était, et qui me mit mal à mon aise. J'avais pensé lire d'abord, en lecture frivole, *La Vie de Marianne*, car Marivaux plaisait à la Reine, puis continuer sur un récit de voyage; enfin achever sur les quelques pages de lecture pieuse (des extraits des sermons de Bossuet ou des oraisons funèbres de Fléchier) que, depuis son arrivée à Versailles et en obéissance aux recommandations de sa mère, l'Impératrice Marie-Thérèse, la Reine devait écouter quotidiennement. L'Impératrice était morte depuis neuf ans maintenant, mais j'observais qu'avec les années ses ordres, loin de perdre en force, n'avaient fait qu'en gagner, et, même si elle les subissait comme malgré elle, la Reine ne cherchait plus à s'y soustraire.

La Reine, dans la même phrase où elle me loua pour mon excellent choix, me dit que, toutefois, et puisque pour moi, sans nul doute, cela revenait au même, elle préférerait une pièce de théâtre. Du Marivaux, en effet, mais pas *La Vie de Marianne*, plutôt *Félicie*, une pièce très courte et plaisante, une féerie. Elle entendait mieux le théâtre que les romans. Les personnages du théâtre avaient pour elle une présence que n'obtenaient pas ceux des romans. Cela ne revenait pas au même pour moi. Rien de ce qui la concernait ne revenait au même. Je n'osai le lui dire. Confuse, rougissante, j'allai chercher dans la bibliothèque le volume désiré. Elle avait refusé les textes que j'avais préparés : j'étais blessée. En même temps, j'étais flattée de lire du théâtre avec elle, de lui donner la réplique. C'était une manière de pénétrer dans ce temple de l'intimité, dans ce lieu secret par excellence qu'était son théâtre du Petit Trianon. J'essayais de me représenter le bleu des fauteuils de velours, la fragilité des ornements bleu et or en papier mâché. J'en rêvais comme d'un théâtre de poupées à la mesure du goût de la Reine pour le minuscule, en accord avec cette passion qu'elle avait pour les réductions, les miniatures, pour tout ce qui était petit. *Petit*, elle prononçait ce mot d'une manière délicieuse, en durcissant trop la première consonne, puis en fondant la suite du mot en un soupir comme si sa bouche embrassait l'air. *Petit*, tout ce qui concerne Marianne est petit (par exemple, la Reine aimait m'entendre lire : « Je passe tout le temps de mon éducation dans mon bas âge, pendant lequel j'appris à faire je ne sais combien de petites nippes de femmes... »), mais elle avait refusé *La Vie de Marianne*. Nous étions dans *Félicie*. La Reine était la fée. Je jouais Félicie, la jeune fille.

Je commençai :

« FÉLICIE. – Il faut avouer qu'il fait un beau jour.

« HORTENSE (LA FÉE). – Aussi y a-t-il longtemps que nous nous promenons.

« FÉLICIE. – Aussi le plaisir d'être avec vous, qui est toujours si grand pour moi, ne m'a-t-il jamais été si sensible.

« HORTENSE. – Je crois, en effet, que vous m'aimez, Félicie. »

Et je répondis de toute mon âme, avec une ardeur que je tentai de limiter, lorsque je m'aperçus que, de son côté, la Reine lisait platement. Elle prononçait les mots sans y mettre aucune intonation. Elle disait des passages, les yeux fermés, l'air concentré, comme si elle apprenait des verbes irréguliers. Elle avait complètement oublié que j'étais là. Tout à son effort de mémorisation, elle murmurait les mots pour elle-même. Je me taisais. Puis, à nouveau, elle parlait haut, alors la féerie reprenait…

La fée a demandé à la jeune fille de quel don elle désirait être comblée. « La beauté », a répondu celle-ci. Aussitôt la fée la lui accorde et Félicie en est ravie.

« HORTENSE. – Vous vous en réjouissez ; je ne sais si vous ne devriez pas en être inquiète.

« FÉLICIE. – Allez, Madame, vous n'aurez pas lieu de vous en repentir.

« HORTENSE. – Je l'espère ; mais à ce présent que je viens de vous faire j'y prétends joindre encore une chose. Vous allez dans le monde, je veux vous y rendre heureuse ; et il faut pour cela que je connaisse parfaitement vos inclinations, afin de vous assurer le genre de bonheur qui vous sera le plus convenable. Voyez-vous cet endroit où nous sommes ? C'est le monde même.

« FÉLICIE. – Le monde ! et je croyais être encore auprès de notre demeure. »

Sur quoi la Reine en eut assez. Elle avait aperçu, parmi les livres que j'avais mis sur la table, le dernier numéro du *Magasin des Modes Nouvelles Françaises et Anglaises*. Voilà ce dont elle voulait la lecture. Il y était question de bonnets, de la garniture des grands habits de Cour et de celle des robes :

« On garnit les robes en réseaux d'or ou d'argent, mais les ornements que l'on préfère aujourd'hui sont des garnitures de tulle ou de filet, avec des guirlandes de fleurs variées mêlées d'agrafes façonnées en lacs d'amour. » Il dut y avoir un soupçon d'interrogation dans ma voix, car la Reine m'enjoignit, l'air désagréablement troublé, de poursuivre… « On y ajoute des glands à la chinoise, ou des cornes d'abondance qui répandent des fleurs et des petits fruits sur le fond de l'étoffe. On les garnit aussi, lorsque le fond est uni, avec des fleurs et des plantes imitant le naturel comme tournesols, lis, jacinthes, muguet, aubépine... » Elle était captivée. Mais c'est sur le chapitre des broderies qu'elle m'écouta, le souffle retenu : « Des caracos de linon brodé en diverses couleurs nos dames ont passé rapidement aux robes brodées de même. Cette mode des broderies est trop agréable pour qu'elles ne s'appliquent pas à la perfectionner. »

Les broderies étaient la grande innovation de ce mois de juillet. La Reine, comme saisie d'une inspiration, se redressa sur ses oreillers avec une vigueur que je ne lui avais pas vue ces derniers jours. Elle demanda le *Cahier des Atours*. La séance était terminée, la suite relevait des compétences de Rose Bertin. Le temps que je reprenne et range dans mon grand sac de tissu les volumes que j'avais apportés, la Reine était déjà plongée dans la contemplation de son précieux *Cahier*. Les yeux rivés aux échantillons de tissu collés sur les pages, elle était retirée du monde. Elle choisissait ses robes. Et comme si, dans son désir insatiable de ces soies, de ces velours, de ces tissus gaufrés, de ces tissages fabuleux inventés pour elle, le sens de la vue ne lui avait pas suffi, elle les caressait du doigt, voulait les sentir contre sa peau, et restait le regard vide, songeuse. Distraitement, elle a enlevé son bonnet de dentelle. Ses cheveux, flous, très blonds, se sont répandus en nuage sur l'oreiller, tandis qu'une puissante odeur de jasmin envahissait la pièce. Une de ses épaules s'est dénudée. Je restais immobile, subjuguée... Je ne pouvais me décider à partir. Je ne sais pas ce que je voulais de la Reine, mais je voulais toujours davantage.

Enfin je réussis à m'en aller, mais je la regardai une dernière fois avant de me retirer : elle scrutait passionnément ces tout petits morceaux de tissu. Elle avait quinze ans alors, l'âge de son arrivée en France. Quinze ans... sinon moins.

Déjeuner à « la Petite-Venise » (une heure de l'après-midi).

Je suis allée déjeuner au bord de l'eau. Dans une de ces guinguettes installées le long de la traverse nord du Grand Canal, dans ces faux villages de pêcheurs qui, depuis le roi Louis XIV, se perpétuaient, et qu'on appelait « la Petite-Venise ». Des paysans habillés en mariniers (quand ils ne jouaient pas la comédie de la vie maritime, ils cultivaient les champs) servaient du poisson, transporté à toute allure des ports de la Manche. Je demandai à mon serveur si la pêche avait été bonne. Il se lança dans un récit de passes dangereuses, de vent qui tourne, de naufrage évité de justesse. Il y avait quelques autres clients à la terrasse de la guinguette, dont certains que je connaissais de vue. Ils s'amusèrent du récit de la tempête en pleine mer et, avec cette facilité propre aux habitants du château de quitter en un quart de seconde la réalité pour sauter sur une scène de théâtre, entrèrent dans le jeu.

– Et tout de suite, ai-je demandé quand j'ai eu terminé mon repas, m'apprêtant à partir, n'est-il pas imprudent de prendre la mer ?

Je montrai le calme plat de la surface du Canal.

– Un peu, mais je vais vous appeler un marin expérimenté, un vieux loup de mer qui a essuyé plus d'un mauvais grain.

Un jeune gondolier est apparu, et j'ai pris place sur le tissu humide de la banquette. Ce garçon était d'une famille vénitienne installée à « la Petite-Venise » depuis plus d'un siècle, les Palmerini. Il connaissait toute l'histoire de la flottille du Grand Canal, mais je n'avais pas envie de l'entendre. « Chante-moi plutôt une chanson. » Il s'est lancé, en italien ; et aussitôt le gris si triste de ce ciel quasi hivernal s'est éclairci. C'est ainsi que je me suis éloignée de Trianon et me suis retrouvée de l'autre côté du bras du Canal, du côté du château de la Ménagerie. Je ne l'avais pas vraiment décidé, mais cela ne me contrariait pas, au contraire. Monsieur de Laroche, Capitaine-Gardien de la Ménagerie, était un personnage haut en couleur. Il était, de surcroît, pour moi, une présence amicale. Et j'étais tout à fait disposée, par cet après-midi inoccupé, à faire une visite d'amitié.

La visite au capitaine de Laroche, Capitaine-Gardien de la Ménagerie : « N'en parlons plus » (de deux heures à quatre heures de l'après-midi).

Le capitaine de Laroche n'avait nulle part son équivalent. C'était sans doute le plus grand phénomène de sa Ménagerie, un être tel que je ne résiste pas à l'envie d'en faire le portrait. On faisait semblant d'observer les animaux, mais c'était lui, en réalité, qu'on venait voir… pas de trop près. Il était préférable de le fréquenter en plein air.

Laroche, grand, brun, de belle prestance, fort galonné et enrubanné, aussi couvert de bagues et de diamants qu'un financier, était l'être le plus fétide qu'on puisse imaginer. À plusieurs pas de distance, les yeux fermés, on décelait sa présence. Il puait comme trente-six boucs, comme des monceaux de truies se roulant dans la fange, comme des sangliers dans leur souille. Par comparaison, le plan d'eau du parc que l'on appelait

« l'étang puant » embaumait. Apparenté à la riche et ancienne branche provençale des Moizade, on l'avait d'abord, selon la tradition familiale, voué à une carrière diplomatique. Mais la France y aurait perdu tous ses alliés. La puanteur de Laroche frappait comme une bombe. Il fallait sortir très vite, ou vomir. Ce qui, dans sa jeunesse, était déjà éprouvant avait pris, au fil des ans, les proportions d'un phénomène transnaturel. Le jour de sa présentation, comme avait échoué le projet de le ceinturer et de le jeter de force dans un bain (il avait cassé un bras à un valet et fait voler en éclats la dentition d'un autre), il avait fallu se contenter de l'asperger de barils de parfum et lui mettre aux pieds deux paires de souliers dans le vain espoir d'en contenir la pestilence. La rencontre entre son odeur personnelle et ces parfums avait de quoi bouleverser. À l'entrée du « débutant », le Roi (il s'agissait alors de Louis XV) avait eu un recul, et au moment où le jeune homme, encore échauffé des empoignades qu'il venait d'avoir, avait tendu sa joue droite pour le salut rituel, le Roi s'était détourné. Il avait pressé son beau visage entre ses mains d'un geste qui lui était coutumier, mais qui, ce jour-là, annonçait, outre une crise de mélancolie particulièrement tenace, une migraine épouvantable. Afin que l'incident ne se renouvelle pas, et pour ménager la susceptibilité d'une famille bien en cour, quelqu'un avait eu l'idée de le placer à la Ménagerie, où, espérait-on, les effluves du jeune Laroche se fondraient avec ceux des grands fauves. Il avait été nommé « Capitaine-Gardien de la Ménagerie de Versailles » – poste envié car, outre le fait que les tâches impliquées n'étaient pas épuisantes, il comportait le droit et même le devoir de loger dans le petit château octogonal bâti par Mansart sous les directives de Louis XIV. La Ménagerie, édifiée à l'extrémité d'un des bras du Canal, de l'autre côté du Grand Trianon, était, paraît-il, avant l'arrivée du capitaine, un lieu exquis. Il y avait au rez-de-chaussée un grand salon de rocailles, perpétuellement rafraîchi de jets d'eau et de ruisselets qui coulaient à travers des fougères. C'était un lieu idéal de rendez-vous dans les temps chauds et les fins d'après-midi orageuses si fréquentes à Versailles. On y tenait conversation, on jouait aux charades et aux portraits, et l'on disait que nulle part ailleurs mieux que là, avec dans les oreilles le bruissement de l'eau et autour de soi la douceur de la mousse étendue comme une tapisserie sur les parois irrégulières, l'esprit affluait et se répandait avec bonheur. Laroche avait fait tarir tous ces débordements. Versailles étant constamment surpeuplé, il y avait quand même toujours des personnes logées là. Mais, d'une part, elles ne l'acceptaient que pour des séjours limités ; d'autre part, elles faisaient en sorte d'occuper non le château de la Ménagerie mais les petits pavillons attenants, bref de résider le plus loin possible de la bauge du capitaine. Je crois me souvenir qu'en ce mois de juillet y logeaient monsieur de Lally, madame de Gouvernet et sa tante. À mon arrivée, en mettant le pied sur la terre ferme, je ne vis aucune de ces personnes. Je ne vis que le Capitaine-Gardien. Il se tenait à l'entrée de son domaine, sous une arcade de buis. Il fumait sa pipe. Le capitaine, à son habitude, était plein d'énergie, laquelle, selon lui, tenait à ses principes d'hygiène, puisque, disait-il, « à chaque fois qu'on se lave, on perd un peu de soi ». Ses bagues projetaient des lueurs beaucoup plus lumineuses que les mornes couleurs du ciel. Laroche était un soleil à sa manière. Il en était intimement convaincu, mais sans pécher par orgueil, car il était en toute sincérité et fanatique affection le fidèle vassal de Louis XVI, dont il avait longtemps égayé les Couchers.

– Bonjour, ma belle amie, me salua-t-il à distance. Venez-vous aux nouvelles de l'autruche ? Les canards aussi se portent mal… mais eux, c'est habituel : l'eau de Versailles les tue.

Je n'étais déjà plus, en cette année 1789, d'âge à me faire appeler « belle amie », mais c'était le ton entre Laroche et moi. Je savais sa galanterie innocente, et – pourquoi m'en cacher ? – sans l'avoir jamais véritablement encouragé, je ne puis dire non plus l'en avoir dissuadé.

En même temps que s'asséchait, à l'intérieur, le salon de rocailles et que mourait avec lui l'esprit des réunions, dépérissaient, au-dehors, les hôtes du lieu. Laroche était un soleil… et un fléau. D'abord l'éléphant s'était noyé dans un petit étang. Presque une mare. Comme l'accident avait de quoi surprendre, il s'était avéré après une courte enquête que la victime était ivre quand elle s'était laissée choir pour ne plus se relever. L'éléphant, avait dit Laroche en pleurant beaucoup la perte d'un de ses animaux favoris, avait besoin de ses cinq litres quotidiens de vin de Bourgogne. Ce jour-là, il les avait descendus un peu vite et en plein soleil. Laroche avait pleuré plus fort. Ce qu'il n'avait pas dit, c'est qu'il s'était octroyé de droit la survivance du privilège des cinq bouteilles de vin ! L'éléphant était mort, ce géant si gentil, si expansif, si tendre, si intelligent… Un animal qui a « le nez sur la main », comme aimait à le répéter le capitaine, citant le comte de Buffon qu'il admirait. Et s'il rôdait souvent vers l'entrée du Cabinet du Roi, c'était pour avoir le plaisir d'entrevoir la statue de Buffon érigée là (il avait cru d'abord que ce n'était pas une statue, mais Buffon lui-même empaillé !).

Après l'éléphant, c'était le lion qui avait commencé à peler de la crinière et à se sentir mal. Le lion était moins doux que l'éléphant, mais prestigieux. Il nous avait été livré du Sénégal en grande pompe, offert en présent du Roi très Sauvage à son homologue très Chrétien. On avait déroulé pour lui, traité à la fois en ambassadeur et en captif, un tapis rouge qui déployait son chemin de pourpre depuis le grand escalier de marbre jusqu'au Salon d'Apollon, où le Roi, pour l'occasion, trônait. Le lion était arrivé, enfermé dans une cage incrustée de pierres précieuses, que traînaient trois esclaves, plus noires que pain brûlé. La première portait, piqué en papillote dans le complexe édifice de sa chevelure tressée, un petit mot du roi de son pays. Celui-ci assurait Louis XVI que ces filles étaient sa propriété, qu'il pouvait, selon son désir, les garder à son service, en faire cadeau, ou les donner à manger au lion. Louis XVI les avait reléguées à la Ménagerie. Elles y vivaient toutes trois, sans cesse enlacées, passant le temps à se décoiffer et recoiffer l'une l'autre, et parlant une langue qui fusait en des éclats de rire dont la stridence donnait le frisson. Elles zébraient de leurs gestes pointus l'horizon circonscrit de la faune de Versailles. Elles avaient seulement réussi à communiquer avec notre monde pour se faire apporter de fastueux tissus. Elles les drapaient sur leurs corps sans les coudre. Ces séances d'habillage correspondaient aux rares moments de calme de leur existence. Alors elles chuchotaient, s'observaient en silence. Elles se montraient recueillies, au point que, si l'on avait pu sans blasphémer leur prêter une âme, on les aurait cru en prière... Il y avait un autre moment de calme pour elles, c'était lorsqu'elles regardaient, de la rive, les embarcations partir pour Trianon. Elles fixaient les grandes barques en forme de gondole, les yachts, frégates et felouques chargés de courtisans. Sous leurs regards attentifs, possédés de paysages inconnus, les courtisans se taisaient et les regardaient à leur tour. Ainsi passait entre les trois Africaines et les invités de la Reine comme un souffle de pétrification… Et entre les Africaines et la Reine ? J'étais convaincue qu'il ne pouvait rien passer, et je pense toujours de même. Ce n'est pas de passage qu'il s'agit, mais de quelque chose d'autre, je ne sais quoi, un point de similitude dans cette passion pour les tissus, dans cet effet de ravissement que provoquait leur contact. Un point obscur… un point d'amour ?

Oui, si je repense à la Reine comme je la vis ce matin-là, avec ses grandes manches de dentelle, toute rose et fragile, immobile, la bouche entrouverte, en train de fixer ces petits morceaux de tissu, ces timbres de ses plus belles robes, c'est le mot *amour* qui me vient…

Le lion lui aussi était mort. Laroche avait eu un terrible sentiment d'impuissance. Il avait demandé une audience au Roi. Le très jeune Louis XVI, dit alors *le Vertueux* et qui souhaitait mériter le titre de *Sévère* (je n'ai jamais su si c'était en plus ou à la place), écouta la requête de Laroche – faire cesser l'hécatombe de la Ménagerie. Malgré sa bonne volonté, Louis XVI ne l'avait pas réconforté. Il s'était montré évasif. À Versailles, avec les chaleurs, survenaient les maladies. Nombre de gens eux aussi allaient mal, certains mouraient. Il parla d'un monsieur de Las, qui s'était fait en tombant de cheval une fracture ouverte. Il était en train d'agoniser dans un pavillon de chasse. Sa famille l'avait fait transporter là pour ne plus l'entendre hurler.

– Mais les hommes, eux, peuvent dire ce qui les tracasse. Tandis que mes animaux me supplient de leurs yeux mourants sans pouvoir m'indiquer quoi que ce soit de leur tourment. Je vais perdre l'ours blanc, avait gémi monsieur de Laroche en tordant un mouchoir. Sa Majesté peut-elle concevoir ce que je souffre ?

– Non, avait dit le Roi, non.

Alors, peut-être pour se punir de son insensibilité, Louis XVI avait rejeté le bouquet de thym qu'il tenait sous le nez, s'était penché vers l'homme en désespoir et l'avait respiré à pleins poumons. Et – ô mystère de la divine essence royale – le Roi, loin d'en être incommodé, s'en était bien trouvé. Il avait redressé les épaules, qu'il portait toujours un peu courbées au-dessus de ses bras mols et plutôt longs, et avait souri.

– Je vous aime beaucoup Laroche, avait-il prononcé de sa diction hachée. Montrez-vous quelquefois à mon Coucher, vous me ferez plaisir. Quant aux animaux de la Ménagerie, cessez de vous torturer à leur sujet. Il y a énormément d'animaux en ce bas monde. Dieu pourvoit à leur existence, en immenses quantités, et sans lésiner sur leur renouvellement. Les ours blancs, par exemple, pullulent dans le Grand Nord.

– Je me résignerai à l'inévitable. Mon ours blanc va mal, très mal, je n'y puis rien. Eh bien ! baste ! n'en parlons plus !

À partir de ce moment, Laroche n'avait plus parlé à la Cour de l'état de santé de ses animaux. Il ne s'en entretenait qu'à la Ménagerie. Mais il avait gardé de cet entretien la manie de dire « n'en parlons plus » à tout bout de champ. Et c'était devenu une des scies des courtisans, qui, d'abord pour se moquer de Laroche, puis sans plus savoir pourquoi, ponctuaient les conversations de la formule fatidique. Il y avait certains jours où il me semblait n'entendre que « n'en parlons plus ».

Laroche se rapprocha, sa puanteur me submergea (je me récitai la prière aux agonisants : « Je vous supplie ô mon Dieu de me pardonner le plaisir avec lequel j'ai recherché les parfums et les bonnes odeurs et de m'être rendue trop délicate à fuir les mauvaises… »). Il me demanda plus bas le motif de ma visite. L'autruche, vraiment ? Non, ce n'était pas l'autruche... Il y avait longtemps que nous ne nous étions vus, je m'ennuyais de lui... Il fut ravi et me répondit par quelque compliment. Lui aussi était heureux d'avoir quelqu'un avec qui passer les heures vides de cet après-midi.

— Cela va-t-il bien là-haut ? dit-il en désignant le château.

— Je n'ai rien remarqué d'insolite. Les deux tiers des courtisans sont enrhumés, les autres éternuent et se mouchent pour se mettre au diapason. Mais vous ne vous adressez pas à la personne la mieux renseignée. Je ne quitte guère mes livres et ne suis pas conviée aux Séances Royales.

— J'espère bien. Étant donné leur utilité ! Ce sont autant de pièges tendus par son entourage à l'esprit naturellement juste de notre Roi. Les Séances Royales ! rien que d'y penser, je me sens bouillir d'indignation. L'idée seule d'*oser* conseiller un Roi aussi sage que le nôtre est une insolence. Le sieur Necker, par exemple, peut-on imaginer individu plus prétentieux ? Un chiffreur plus effroyable ? J'ai entendu son discours d'ouverture à la session des États généraux. J'en aurais bramé ! Des chiffres, des chiffres, des chiffres ! Durant deux heures. Lui-même n'a pu continuer. Au bout d'une demi-heure, il a dû se faire remplacer par un lecteur. Je n'avais jamais vu une chose pareille : un orateur qui cale le premier devant le pensum qu'il est en train d'infliger à son auditoire !

— Et vous ne la reverrez pas. Du moins pas du fait de Necker.

— Pourquoi cela ? Aurait-il appris à intéresser ?

— Cela, j'en doute ; mais, de toute façon, Necker n'est plus. Il est renvoyé. Vous n'étiez pas au courant ? Il a été renvoyé samedi. C'est la grande nouvelle.

– Mes animaux sont mal informés. Et, par voie de conséquence, moi aussi. Quand même, Necker renvoyé ! voilà qui fait plaisir à entendre. Dites-moi un peu les détails de l'affaire.

– Je sais seulement que le 11, samedi donc, à trois heures de l'après-midi, son ami, le comte de La Luzerne, secrétaire d'État à la Marine, est venu lui porter de la part du Roi une lettre. Sa Majesté lui demandait de démissionner et de quitter la France discrètement.

– Moi, je l'aurais fait jeter en prison.

– Vous parlez comme le baron de Breteuil. Il voulait que Necker fût arrêté.

– Cette séance d'ouverture des États généraux était un supplice. Un discours de deux heures, par ce butor ! Des centaines et des centaines de chiffres. Il ne faut jamais pardonner aux ennuyeux. Mais, chère amie, vous vous montrez trop modeste. Vous êtes magistralement renseignée, en réalité. Ce n'est pas dans les romans de madame de La Fayette, de Marivaux ou de madame de Tencin que vous trouvez ce type d'information.

– Vous me flattez, Monsieur. Tout le monde est au courant. On ne discute que de ça. Pour moi, la tête me tourne. Heureusement, monsieur Moreau aime bien m'expliquer ce qui se passe. Ce que je puis en comprendre, car de la hauteur d'où il contemple l'Histoire, il ne distingue ni les vétilles ni les anecdotes. Il ne saisit que l'essentiel.

– Et que dit monsieur l'Historiographe de France du renvoi de ce jean-foutre ?

– Il le souhaitait ardemment, comme chacun. Cependant il continue de dire : « Cela ira mal. » Mais c'est une chose qu'il répète depuis longtemps.

Laroche s'est assombri, brièvement ; le temps que lui vienne un grand projet.

– Si Necker est renvoyé, alors son poste est libre ! Je ferai un excellent ministre des Finances. Je retrancherai à merveille, le superflu comme le nécessaire. Je commencerai par le nécessaire ; quand j'en serai à supprimer le superflu, les Français auront, depuis longtemps, perdu la force de protester.

– Méfiez-vous. À trop vouloir retrancher dans les dépenses, vous risquez d'être vous-même retranché du gouvernement. C'est ça qui a causé la chute de Necker. Son goût de l'économie, son anxiété excessive sur les questions de ravitaillement, et sa timidité par rapport au mauvais esprit qui règne à Paris, son hésitation à frapper vite et fort. On aurait dit qu'il oscillait, qu'il louvoyait…

Laroche se mit à rire – de son rire brusque, impartageable. (Il avait cela de commun avec son Roi, sinon le jugement comme il le croyait, le rire).

– Regardez comme c'est vert par ici, effet de ces jours de pluie, avait-il ajouté en se tournant vers les prairies qui bordaient la Ménagerie.

Dans cet endroit, il y avait une vaste ferme, dont les tenanciers exploitaient cette partie du parc, et dont les troupeaux, superbes, qui broutaient pêle-mêle avec les daims et les chevreuils, procuraient à la Cour une partie du laitage dont elle avait besoin. L'autre partie était fournie par la ferme du Petit Trianon. Ce côté du parc donnait une impression d'abondance et de verdure. Il faisait songer à la Suisse, aux dires de monsieur de Besenval dont c'était le pays d'origine. Quant à moi, qui suis née au bord de la mer, il ne me rappelait rien.

Le capitaine quitta cette vision rurale. Il ignora de même la Faisanderie, à côté de la ferme, et se tourna vers la route de Saint-Cyr, au bout de la Ménagerie.

– Personne ne passe sur cette route. À quoi sert-elle ? Elle est régulièrement refaite par les forçats. Ils mettent un peu d'animation pendant quelques semaines. Ils chantent bien, les bougres ! Et puis ils disparaissent. Plus personne.

– Et les cavaliers, ils n'empruntent pas cette route ?

– Pensez-vous ! S'ils sont gentilshommes, une route pour eux est une restriction de leur liberté. Ils prennent à travers champs. Comme à la douane pour entrer à Paris, un jeune homme bien né ne ralentit pas. Il presse son équipage, envoie valser l'employé qui a le front de vouloir l'arrêter. C'était ainsi dans ma jeunesse, ce doit être toujours pareil.

– Je ne vais jamais à Paris. Dieu m'en garde !

– Moi non plus. Qu'irais-je y faire ? C'est pourquoi je vous parle du temps de ma jeunesse.

– Et vous vous conduisiez en jeune homme bien né ?

– Bien sûr. Je suis toujours entré à Paris au galop. J'entends encore les cris des passants. Le guet ne se risquait pas à m'arrêter. Il se vengeait sur les miséreux. Il enfonçait avec rage sa pique dans les charrettes de foin pour y découvrir des voyageurs clandestins.

– Les découvrir ?

– Ou les estourbir !... Le Roi est trop bon... Il se sacrifie pour son peuple. Des vauriens qui ne le méritent pas. Il leur fait construire des routes, des villes, il donne l'ordre de fortifier les ports et lance des bateaux sur la mer. La sagesse est de ne rien faire. Ne pas construire, ne pas réparer. Laisser crouler... Je serai ministre de l'Ignorance. Ministre de la Crasse Ignorance... « Quand tous les germes confondus auront été dégagés et rendus à leur place primitive, Dieu répandra une ignorance absolue sur le monde entier, afin que tous les êtres qui le composent restent dans les limites de leur nature et ne désirent rien d'étranger ou de meilleur ; car, dans les mondes inférieurs, il n'y aura ni mention, ni connaissance de ce qui se trouve dans les

47

mondes supérieurs, afin que les âmes ne puissent désirer ce qu'elles ne peuvent posséder et que ce désir ne devienne pas pour elle une source de tourments. » Basilide, mon petit. C'est encore plus fort que Buffon… Afin que tous les êtres qui le composent restent dans les limites de leur nature et ne désirent rien d'étranger ou de meilleur… Ils vont avoir du mal là-haut à trouver un remplaçant pour Necker… Enfin, puisque vous m'assurez que tout est tranquille, je vous crois.

— Mieux que tranquille, serein.

— Alors, tout est pour le mieux, je garde pour unique point noir, et pour moi seul, le malaise de mon autruche… Pourtant, je n'ai pas entendu le Roi chasser, ni hier, ni aujourd'hui. Tout va bien, mais le Roi ne chasse pas… Enfin, n'en parlons plus !

— Si, parlons-en, dis-je, reprise d'une vague inquiétude – de ce sentiment d'étrangeté que j'avais eu tôt le matin dans les rues de Versailles.

Mais monsieur de Laroche était passé à un autre sujet.

— Et comment se déroulent les Couchers du Roi ?

— Ils sont tristes, paraît-il. Peu fréquentés.

Le capitaine prit l'air triomphant. Il mit cette désaffection au compte de l'interdiction qui l'avait exclu. Il n'en voulait pas au Roi. Il avait compris que le coup venait de plus bas. Que Louis XVI avait cédé à la pression des autres participants. Les pages surtout, qui n'avaient pas la possibilité d'ouvrir en douce une fenêtre et de s'y tenir embusqués. Il y avait eu plainte unanime portée aux oreilles du Roi par le Premier Valet de Chambre en quartier. Louis XVI s'était résigné. D'ailleurs, il n'avait plus le cœur à rire. Les gaietés de Laroche, qui parfois arrachait les perruques et les jetait sur le ciel du lit, ou qui, comme lui-même, mourait de rire à chatouiller les chatouilleux, ne lui manquaient pas…

– Comme on riait à ces Couchers ! dit Laroche.

Et il m'entraîna vers les singes. Puis, comme en proie au délire, il s'est roulé par terre en poussant des cris. Les singes bondissaient d'un bord à l'autre de leur cage, se suspendaient par un bras, tournoyaient. Sa crise passée, le Capitaine-Gardien s'est relevé, comme si de rien n'était, et m'a déclaré avec solennité :

– Je vous estime, Madame, parce que vous êtes *vous* la plupart du temps. C'est une qualité rare et remarquable. Quand est-ce qu'un roi est roi ? Il est toujours roi, bien sûr. Mais il est des situations où il l'est plus que d'autres. Où il est très exactement le roi qu'il fut créé pour être. Celui que personne d'autre n'aurait pu être à sa place. Pour notre roi Louis XVI, je l'ai tout de suite compris et je l'ai vérifié souvent, c'est le moment, le soir, avant qu'on le déshabille pour son Coucher, où il vide ses poches et pose son couteau sur la table de chevet. Là, dans ce geste, il est formidablement royal.

J'allai m'asseoir sur un banc, près de l'eau. Toutes les embarcations étaient au port. *N'en parlons plus* avait agi sur moi. Je n'éprouvais plus d'inquiétude. J'avais le sentiment d'un calme parfait et d'avoir devant moi un temps immense.

Bavarder et broder avec Honorine (en fin de journée, avant le souper).

Même par temps maussade, le ciel de Versailles s'éclaire en fin de journée et c'est, à chaque fois, d'une beauté qui bouleverse. Je l'ai constaté encore ce soir-là. J'étais assise avec mon amie, Honorine Aubert, première femme de chambre de madame de La Tour du Pin. Nous étions installées dans une petite pièce chez sa maîtresse, laquelle, voisine de la princesse de Hénin, habitait un grand appartement au-dessus de la Galerie des Princes, en haut des bâtiments formant l'aile du Midi du château. Cet appartement ouvrait d'un côté sur la rue de la Surintendance, de l'autre sur la terrasse de l'Orangerie. J'aimais spécialement m'y tenir, par amitié pour Honorine, et aussi parce que de ma chambre, située à l'étage mansardé de cette aile du Midi, j'avais toute la gloire des cieux, mais j'étais privée du parc comme d'une vue sur la ville. Ainsi ce bel appartement me restaurait une totalité. Nous terminions ensemble une tapisserie commencée par madame de La Tour du Pin, et qu'elle avait abandonnée. Broder m'a toujours plu. J'y étais moins habile qu'Honorine, mais comme elle était naturellement plus lente que moi, nous allions au même rythme. Nous écoutions par la fenêtre ouverte une musique qui montait des appartements de la jeune princesse Marie-Thérèse. Nous commentions notre journée. Je lui dis que la Reine semblait de plus douce humeur, presque heureuse, malgré son deuil profond, et que cela me réchauffait le cœur. Honorine s'en était réjouie. L'aiguillée haute, les bobines de soie à nos pieds, nous progressions point par point dans un paysage boisé. Tout en bavardant, nous nous attachions à bien réaliser un dégradé de verts.

Pour rire, je lui ai raconté mon après-midi à la Ménagerie, et les Africaines. « Je n'y crois pas », me dit-elle. Comment ? Elle n'y croyait pas ? Mais je les avais vues, et plus d'une fois. Même qu'elles faisaient un bruit de volière. « Je n'y crois pas. C'est tout. Il n'y a pas d'Africaines à Versailles. Et pas davantage en Afrique, car l'Afrique n'existe pas. Les voyageurs racontent n'importe quoi à leur retour. Qui irait vérifier ? » Quand Honorine jouait les esprits forts, cela me mettait en colère. J'ai boudé. Pas longtemps, car il y eut cet impromptu : trois coups timides à la porte, un homme pointe le nez, il cherche la Reine, il a quelque chose à lui montrer. Quoi donc ? Il hésite, entre et se manifeste en entier. « Voici, dit-il, ce que je voudrais lui montrer. » Et il se tient devant nous, les jambes un peu écartées, bien droit. Nous examinons l'individu. Il est quelconque, n'était son costume. En effet, il est vêtu comme Arlequin d'une combinaison multicolore. Mais au lieu de losanges, ce sont des rayures et elles sont bleu, blanc, rouge. « Je cherche la Reine, reprit-il, pour lui présenter mon modèle de costume national. »

Une soirée au Grand Commun.

Le reste de la soirée, que nous avons passée au Grand Commun, avait été joyeuse. Et le souper, tout simplement royal : nous y avons dégusté le surplus de la Table du Roi. Je me souviens que les cailles étaient à l'honneur ainsi qu'une morue nouvelle de Terre-Neuve. Vers neuf heures, des abbés s'étaient joints à notre tablée. Ils n'avaient pas faim parce qu'ils sortaient du festin offert par le cardinal de Montmorency, c'était le jour où celui-ci avait prêté serment au Roi. Ils nous ont raconté les desserts : plus d'une centaine, sans compter les fruits confits, les compotes, les glaces, les nougatines. L'abbé Hérissé avait apporté plusieurs bouteilles d'alcool de ratafia de coing et du vin de cerise qu'il voulut que nous goûtions. Honorine et moi, comme nous n'avions ni l'une ni l'autre l'habitude de l'alcool, n'arrêtions pas de rire, au moindre propos, et encore plus lorsqu'ils étaient sérieux. Ainsi quand les convives ont parlé du dernier décret promulgué par Louis XVI, qui interdisait dans l'armée que les soldats soient frappés du plat de la lame de l'épée, nous nous sommes esclaffées, le nez dans nos verres. J'ai un peu honte, quand j'y repense, mais c'était notre mode alors. S'il n'y avait pas d'enfants à Versailles, il y avait beaucoup d'enfance répandue dans l'air, et c'était celui que je respirais.

Les alcools continuèrent de circuler et accrurent, en toute honnêteté, la gaieté de notre assemblée. Quelqu'un sortit un violon et nous avons dansé.

Vers les onze heures du soir, je rentrai au château, séparé de quelques mètres de l'énorme bâtisse du Grand Commun. La nuit tombait à peine. Je tenais le bras d'Honorine. Elle logeait à quelques chambres de la mienne. Il y avait encore des va-et-vient dans le passage souterrain qui reliait le château aux cuisines du Grand Commun. Au château, c'était l'heure où les falotiers, armés de leur pique, allumaient les torchères dans les couloirs. Spectacle habituel et que nous ne prenions plus la peine de constater. Ce qui était étonnant, par contre, était de voir encore les fenêtres de l'aile des Ministres éclairées.

– Comment ? le nouveau gouvernement siège-t-il déjà ? ou encore ? à cette heure de la nuit ? Monsieur le baron de Breteuil est d'une vigueur impressionnante.

– Si sa force de travail est égale à la conscience qu'il a de son rang, nous sommes en de bonnes mains, ajouta quelqu'un, qui avait pour la famille de Breteuil une grande admiration.

– Je doute qu'à une heure pareille le gouvernement siège ; il s'installe. Ces messieurs se répartissent les bureaux.

– Mais qui sont-ils exactement ? Tous les postes sont-ils pourvus, maintenant ? demanda mon amie que l'air frais avait légèrement dégrisée, et qui, de vivre dans le milieu de la famille de La Tour du Pin, famille très politique, suivait de près ce qui se passait à la Cour.

J'entendis une liste de noms. Ce qui me fit plaisir. J'aime les listes. J'aime ce qui fait nombre sans qu'il soit besoin de compter, ce qui s'ordonne de soi en cérémonie.

Les noms se déclinent aussi en berceuse, à l'heure où les yeux se ferment. Et cette nuit-là, malgré l'émotion d'une séance de lecture, malgré la grande marche de la journée, le capitaine de la Ménagerie, l'Arlequin tricoté, la danse, le ratafia de coing et le vin de cerise, j'avais du mal à les fermer. Allongée, je fixais le ciel sombre. Les oiseaux de nuit, dans le bois, jetaient leurs cris. Les ululements de la chouette, ce bizarre son, au bord du sanglot, me donnaient le frisson. Et il y avait au-dehors un bruit continuel de voitures, de chevaux, et un brouhaha de voix... Les noms, cependant, cette fois encore, l'emportèrent :

Le duc d'Argile

Angelica de Solis

Monsieur de Sainte-Colombe

Monsieur Desantelles, Intendant des Menus Plaisirs

Le comte de Zizendorf, du pays de la Grande Tartarie

Le comte de Vaudreuil, Grand Fauconnier

Le comte d'Haussonville, Grand Louvetier

Le duc de Penthièvre, Grand Veneur

Le prince de Lambesc, Grand Écuyer

Les écuyers, tous les écuyers

Les écuyers par quartier, les écuyers ordinaires, le Premier Écuyer

L'Écuyer Cavalcadour

La princesse de Lamballe, Surintendante de la Maison de la Reine

La princesse de Chimay, Dame d'Honneur de la Reine

La comtesse d'Ossun, Dame d'Atours de la Reine

Les Dames du Palais de la Reine

Les Dames pour accompagner Madame

Les Dames de Mesdames...

15 juillet 1789

Journée

Quelqu'un avait osé interrompre le sommeil du Roi.

La nouvelle se répandit dès l'aube, fracassante, et qui me laissa abasourdie : le Roi avait été réveillé en pleine nuit. Comment était-ce possible ? Le Roi était inaccessible la nuit. Les grilles étaient fermées, les entrées et les principaux escaliers surveillés. Qui aurait pu franchir la première protection des gardes du poste d'entrée de la Cour Royale, le second obstacle des sentinelles de la Cour du Louvre ? Ensuite, comment s'introduire dans l'intérieur du château ? Aller jusqu'aux Grands Appartements, atteindre la porte même de la Chambre du Roi ? Des gardes du corps y étaient en faction. Ils précédaient les Garçons de la Chambre qui veillaient dans la pièce à côté. Et à supposer qu'un être inouï, surnaturel, quelque sylphe ou passe-muraille, eût franchi tous ces obstacles, restait le dernier : la présence, au pied du lit du Roi, du Premier Valet de Chambre en quartier qui couchait là. Pourtant, contre toute vraisemblance, c'était ce qui se disait : on avait réveillé le Roi.

Dans notre dernier étage, sous les toits, nous courions d'une chambre à l'autre, nous frappions aux portes et propagions, incrédules, cette folle rumeur. Je suggérai :

une indigestion peut-être ? Louis XVI en avait de terribles qui le mettaient aux extrémités… On me rabroua.
Le Roi avait été réveillé par quelqu'un. Quelqu'un qui
avait quelque chose à lui dire.

Il tombait une pluie fine. Les pavés étaient noirs, lui-
sants. Les boutiques qui s'installaient le long des grilles
avaient un air minable. En entrant dans la cuisine du
Grand Commun, je fus accablée par une odeur de vin
et de nourriture, et par les tristes reliefs de notre souper
de la veille… Une sournoise impression de froid et de
nausée me prit. La soupe que l'on me servit avait un
goût âcre. J'avais du mal à avaler le pain, durci, qui
l'accompagnait. Nous nous sommes retrouvés, à peu
près les mêmes que la veille, sans les abbés. Honorine
non plus n'était pas là. Elle était descendue chez
madame de La Tour du Pin. J'attendais d'elle d'en
apprendre davantage. Je n'étais pas la seule. Elle était
notre bureau d'information, Honorine. Elle arriva enfin,
toute chiffonnée, pas coiffée. Une cape verdâtre l'enveloppait (elle la tenait de sa maîtresse, une grande femme
blonde, plutôt maigre, alors qu'Honorine était brune,
petite et ronde). Tous les visages se sont tournés vers
elle. Alors ? Dites-nous. Ce réveil extravagant au milieu
de la nuit ? Qui était-ce ? Pour dire quoi ? Dans la
Chambre du Roi ? Honorine, d'habitude bavarde et
déliée et qui aimait bien faire la fière (elle devait cette
agilité, qui la rendait si attirante, à sa vivacité de Méridionale ; pour sa fierté, elle était le reflet de celle de la
marquise de La Tour du Pin, très intelligente, et qui
profitait de cet avantage pour mépriser l'ensemble de
l'univers), se montrait silencieuse. Elle nous avoua,
piteuse, qu'elle ne savait que répondre. Il y avait,
en effet, ce matin, grande animation chez monsieur et
madame de La Tour du Pin ; mais, comme ils le fai-

saient souvent, dans un mouvement spontané ou pour ne pas être compris des serviteurs, ils parlaient anglais.

– Quand même, a dit Honorine, j'ai entendu plusieurs fois le mot *Bastille*.

Ce n'est qu'au milieu de la matinée, et à la suite de plusieurs personnes arrivées en hâte de Paris, qu'une affirmation, que certains prétendaient fondée, a commencé de s'imposer : c'était le duc de La Rochefoucauld-Liancourt, Grand Maître de la Garde-Robe, qui aurait réveillé Sa Majesté à deux heures du matin. Et pour lui dire quelque chose qui avait rapport avec la Bastille. Une évasion ? Un incendie ? À propos de la citadelle j'eus le temps d'entendre de nombreux récits et souvenirs (« Ah ! la Bastille, s'était exclamé un vieux monsieur, c'est toute ma jeunesse ! »), avant que ne perce l'incroyable nouvelle : la Bastille avait été prise par le peuple. J'ai encore dans l'oreille les sarcasmes, les tollés, les huées qui accueillirent ces mots. Qui les prononça, d'ailleurs, par qui l'ai-je appris ? Je ne sais plus. Je n'ai sans doute pas fait attention, car je ne leur accordai aucune foi. J'avais vu la Bastille : cela m'avait suffi pour comprendre que c'était une forteresse imprenable. Elle écrasait de sa masse le quartier mal famé du Faubourg Saint-Antoine – quartier qu'il était déconseillé de traverser même en voiture, portes verrouillées, et entouré d'un groupe de serviteurs armés.

Des messagers se succédaient. On les arrêtait, on leur demandait si cette chose impossible pouvait être vraie. La plupart en doutaient, comme nous. Certains même étaient positifs : « La Bastille prise par le peuple ? Vous plaisantez ? C'est un mensonge, de la propagande antiroyaliste forgée par les séditieux. » Si l'on insistait, ils finissaient par dire qu'il ne se passait rien de particulier dans la capitale. J'en ai conclu que les Parisiens continuaient de s'exciter sur les incidents du dernier dimanche, mais sans plus... Et l'idée profonde, cette espèce de basse continue de mes convictions d'alors, partagée par la majeure partie des habitants du château à tous les degrés de la hiérarchie, à tous les étages, continuait de l'emporter, intacte : il était inutile de se faire trop de souci, nous traversions un moment difficile, certes, mais ce n'était pas la première fois. Ce vent de rébellion n'était pas pire que celui que le Roi avait essuyé la première année de son règne. S'il avait su le mater à l'âge de vingt ans, il aurait moins de difficultés à triompher en pleine maturité.

Pour achever de me persuader de cette vérité, j'allai faire un tour du côté des appartements ministériels. L'activité n'y faiblissait pas (avaient-ils travaillé toute la nuit ?), ce n'était qu'ordres transmis, meubles transportés : bureaux, tables, fauteuils, guéridons me passèrent sous les yeux à toute allure, comme s'ils couraient d'eux-mêmes. Il me sembla que cette fébrilité à emménager avait quelque chose de prometteur. Je n'aperçus aucun ministre en personne ; cela n'avait rien d'étonnant. On me dit qu'ils se concertaient. Désormais tout devait revenir très vite à la normale, puisque l'unique voix discordante, la voix du Genevois, avait été exclue.

Une autre conviction ajoutait à ma sérénité : c'était celle, très répandue dans les couloirs du château, que tout était inventé par les journalistes. Il ne se passait rien, presque rien, mais ils avaient besoin de noircir leurs feuilles. Cependant, que pensait le Roi ? Comment avait-il réagi, si toutefois une telle chose avait pu se produire, à l'incursion de monsieur de La Rochefoucauld-Liancourt dans son sommeil ? Le Maître de la Garde-Robe avait-il lui-même écarté les rideaux de l'alcôve, ou bien avait-il, au moins sur ce point, respecté l'étiquette ? Alors ce serait le Premier Valet de

Chambre en quartier qui aurait ouvert les rideaux… Et le capitaine des Gardes de la Chambre du Roi, où était-il ? Je me perdais en conjectures. Personne, autour de moi, n'avait le moindre renseignement précis à fournir. Monsieur de La Rochefoucauld-Liancourt lui-même était invisible. Et notre nouveau gouvernement avait-il une opinion ? « Il s'installe, dit quelqu'un, il ne peut pas tout faire à la fois. » La même personne énonça sa propre opinion : « Cela n'existe pas, le peuple, ce n'est qu'une entité. Moi, ce que je propose, et il s'agit d'une proposition bien concrète, c'est que l'on enferme la populace, toute la populace arrêtée et enfermée à la Bastille. » La proposition n'eut pas d'écho immédiat. « À moins que l'on enferme seulement les meneurs », finit par suggérer un esprit conciliateur…

Étrangement, car en général on ne parlait que d'elle, il n'était nullement fait mention de la Reine. Mais je portais son sourire de la veille avec moi, l'image de son visage lisse et rayonnant penché sur son *Cahier des Atours*, et j'allais d'un groupe à l'autre. Curieuse, certes, mais sans plus. Une rumeur, si extravagante fût-elle, ne constituait pas un événement.

Le Roi et ses frères se rendent à la salle du Jeu de Paume (onze heures du matin). La reine au balcon.

Ce qui, sans nul doute, constituait un événement sans précédent, était le petit groupe qui déboucha soudain, à ma droite, au milieu des Gardes Suisses qui en surveillaient l'entrée, du Petit Théâtre, dit d'Hubert Robert, installé, selon le désir de la Reine, au milieu du bâtiment inachevé de cette aile. Honorine m'avait rejointe. Nous étions dans la Cour Royale, appuyées contre sa grille.

Ce groupe – il me sembla que je rêvais – était formé
du Roi et de ses deux frères, le comte de Provence et le
comte d'Artois. Ils étaient sans gardes, sans cortège,
sans l'appareil ordinaire. Tous les trois, à pied, essayant
de ne pas se faire remarquer, quittaient le château.
Quelques messieurs les entouraient. Ils donnaient l'impression d'être des amis. L'ensemble ne ressemblait
en rien à un cortège. Honorine grimpa sur le mur de
soutien de la grille pour mieux voir. « Le Roi n'a pas
son chapeau à plumes », me dit-elle. Il en portait un
de velours, à large bord, mais modeste. C'était un
spectacle vraiment surprenant de voir les trois frères
s'avancer ensemble sur les pavés inégaux, glissants
d'humidité. À onze heures du matin ! heure qu'il était
impossible de considérer comme de promenade. Et
en plus, ils ne marchaient pas vers le parc, mais vers
la ville ! Seul le Roi allait de l'avant. Le comte de
Provence et le comte d'Artois étaient plus réticents. Le
Roi, grand, massif, marchait pesamment, avec son
dandinement disgracieux, et cet air qu'il avait toujours
de faire tout ce qu'il faisait contre son gré. Pour le
comte de Provence, ce n'était pas une corvée, mais un
supplice : Monsieur se traînait. Petit, obèse, ankylosé
des membres inférieurs, il avait du mal à se déplacer.
Les méchants appelaient le comte de Provence « Gros
Monsieur », et il faut avouer, sans être méchant, que le
surnom lui allait bien, comme celui de « Gros Madame »
à leur sœur Clotilde, mariée en Italie. On mettait sur les
pavés de la paille et du fumier pour empêcher les chevaux de déraper. Monsieur, dont les souliers brillaient
de leurs boucles en pierreries, contemplait la chose
avec dégoût. Il devait la découvrir. De même pour
les misérables baraquements à soldats sur la Place
d'Armes. Quant au comte d'Artois, qui était mince,
superbe, séduisant, son déplaisir était moins apparent,

car il mettait de l'élégance dans le moindre de ses gestes. Au début, il est clair qu'il ne voulait pas avancer, mais lorsqu'il se décida, une fois au-dehors du château, il dut se retenir pour ne pas prendre la tête de cette étrange ambassade. Avec Honorine, nous les avons suivis. Nous nous sommes vite trouvées mêlées à des habitants de Versailles, qui, eux aussi, étonnés, reconnaissaient le Roi et ses frères en ces simples piétons. Ils marchaient à leurs côtés. Des femmes riaient et se causaient d'une fenêtre à l'autre. Elles rappelaient leurs marmots qui venaient se planter devant le Roi et ses frères. Chacun était très intrigué de savoir où ils allaient.

Pas loin, en fait. Ils se rendaient seulement à la salle du Jeu de Paume où siégeait désormais l'Assemblée nationale. C'était un lieu qu'ils connaissaient bien, tous trois, pour y avoir fait d'innombrables parties de paume dans leur jeunesse. Mais, dans cette circonstance, le lieu avait dû perdre de sa familiarité à leurs yeux. Le Roi marchait de plus en plus vite, tête baissée sous les acclamations. Le comte d'Artois, presque à son niveau, se faisait huer copieusement. Le comte de Provence, définitivement devancé, en nage et à bout de souffle, cherchait un siège où se reposer. Nous les avons accompagnés jusqu'au seuil. Nous devions nous arrêter là, et nous avons regardé avec envie monsieur de La Tour du Pin qui, en tant que député de la noblesse, pénétrait dans la salle. Nous sommes restées au-dehors, tandis que la foule à l'entour grandissait. Après quelques minutes où nous n'avons rien entendu, il y eut des applaudissements et des cris, puis à nouveau rien d'audible, enfin des hurlements de joie. « Voici qui présage bien », me souffla Honorine. Et, avant que le Roi et ses frères ne fussent sortis, il y avait déjà des jeunes gens très excités qui venaient communiquer la nouvelle. Peu à peu tout s'est reconstitué.

Le Roi avait déclaré devant l'Assemblée nationale : « Il n'est pas de plus instantes affaires et qui affectent plus sensiblement mon cœur que les désordres affreux qui règnent dans la capitale... » Au début, il avait été écouté avec une attention hostile. Le public s'attendait à une réédition de ses déclarations passées et de sa volonté répétée de ne pas céder. Puis, lorsqu'il eut annoncé le but de sa visite, ce furent des applaudissements à n'en plus finir. On l'entendait mal à cause du vacarme que déchaînait son initiative. Et lui qui, lors des occasions précédentes, avait été écouté dans un silence morne, était ému par l'enthousiasme des députés. Il n'arrivait pas à poursuivre. Il s'y était repris à plusieurs fois, et était enfin parvenu à conclure : « ... et comptant sur l'amour et la fidélité de mes sujets, j'ai donné ordre aux troupes de s'éloigner de Paris et de Versailles. Je vous autorise et vous invite même à faire connaître mes dispositions à la capitale. » Dans l'Assemblée les transports et l'attendrissement avaient été à leur comble. Et même après la réponse de Bailly, le président de l'Assemblée, qui avait rappelé que le renvoi des ministres chers à la Nation était la cause principale des troubles, les ovations n'avaient pas faibli.

Lorsque le Roi était sorti, rien n'égalait son air de bonheur. Ses paroles avaient produit un triomphe. Et, à ce que je savais, c'était bien la première fois qu'elles produisaient un effet autre que le découragement. Ce succès d'orateur le grisait. Sur son chemin, les cris, les larmes n'arrêtaient pas. Des exaltés se couchaient par terre pour qu'il leur marche dessus.

Le départ du Roi avait été discret, son retour touchait au délire. Il mit plus d'une heure pour faire le bref trajet de la salle du Jeu de Paume au château. Ses frères, cette fois, le précédaient. Ils étaient environnés, suivis, de

64

tous les députés. Le Roi marchait sous les acclamations
ininterrompues de la foule qui criait : *Vive le Roi*, *Vive
la Nation*, *Vive la Liberté*. Les députés des trois ordres
se tenaient par la main. Ils formaient une chaîne et une
enceinte au milieu de laquelle le Roi, le comte de Provence et le comte d'Artois avançaient. Le Roi marchait
de la même démarche lourde, malaisée, mais il ne cour-
bait plus la tête. Tout près de lui, le comte de Provence
donnait tous les signes de l'épuisement, il était quasi
porté par les messieurs au bras desquels il s'appuyait.
Tandis que le comte d'Artois, animé par un tempérament grossier auquel il n'était que trop enclin, répon-
dait par des insultes aux députés qui le frôlaient de trop
près. La mauvaise humeur de ses frères n'atteignait pas
le Roi. Il goûtait son triomphe, il buvait l'amour de son
peuple et s'en enivrait. Les députés, main dans la main,
essayaient de maintenir la foule à distance, mais elle
était difficile à contenir. On voulait approcher le Roi, le
toucher. Une femme du peuple avait voulu l'embrasser.
« Laissez-la venir », avait-il dit. La femme s'était jetée
à son cou avec un élan qui l'avait fait vaciller. Le Roi
semblait tout ensorcelé d'une exaltation de communion
populaire. Lui qui, si souvent, dans les jours précédents, avait eu envie de « gronder » son peuple, pouvait
l'aimer à nouveau, et il fondait de joie à ces retrou-
vailles. Lorsque le Roi était rentré au château, il avait
bientôt reparu sur le balcon de face au premier étage,
avec la Reine, le Dauphin, les princes et les princesses
de sa Maison. Mais quelle était cette métamorphose ? Il
ne restait plus sur le visage du Roi aucune trace de joie.
À ses côtés la Reine se tenait très raide, sans saluer.
Elle avait devant elle le petit Dauphin, et elle lui prit la
main et l'agita à sa place en direction de la foule. C'est
elle qui donna le signal du retrait. Elle fut la première à
partir avec son fils, Monseigneur le Dauphin, tandis

que Madame fille du Roi, Marie-Thérèse, la petite fille que la Reine surnommait « Mousseline la sérieuse », s'accrochait à la main de son père et ne bougeait pas du balcon. Elle regardait avec curiosité tous ces gens rassemblés à ses pieds et qui criait leur amour pour son père. Le Roi, maintenant, semblait abattu. Il suivit sa femme, ainsi que le comte et la comtesse de Provence, le comte et la comtesse d'Artois et leurs enfants.

Gabrielle de Polignac, Gouvernante des Enfants de France, ne s'était pas montrée au balcon. « La duchesse est comme les taupes, a dit quelqu'un. Elle travaille par en dessous, mais nous saurons piocher pour la déterrer. »

Enthousiasme de la foule. Je crois en un triomphe (après-midi).

Les témoignages d'amour et de reconnaissance s'étaient encore exprimés par des acclamations. Elles devinrent stridentes quand, un peu plus tard, le Roi étant allé entendre la messe, on avait chanté le motet *Plaudite Regem manibus*. Applaudissements, promesses de fidélité, larmes. C'était une foule entière prise du délire amoureux. Elle trépignait et applaudissait si fort qu'elle couvrait de son bruit les voix des chanteurs de la Musique du Roi.

Je l'ai appris depuis. La foule acclame ou insulte n'importe qui, n'importe quoi. L'objet ne compte pas. La foule s'excite de se sentir une foule. Son délire monte à proportion de ce bizarre phénomène de conscience de soi ou de conscience sans soi. « Je ne suis personne », dit la foule. Multipliée par des milliers, cette nullité est irrésistible. Et je m'y livrais, le temps d'une bouffée d'émotion, compréhensible puisqu'il me semblait entendre, avoir à portée de mes sens, la preuve tangible de l'amour du peuple pour son Roi. Et je l'avais cette preuve, mais j'ignorais alors qu'il pût exister un peuple aussi versatile, aussi rapide à passer des larmes d'attendrissement à l'appel au meurtre que le peuple français... Dans ma naïveté, je me mis moi aussi à applaudir avec les autres. Je criais *Vive le Roi*, *Vive la Nation*, *Vive la Liberté*. Honorine dansait sur place et embrassait ses voisins. Elle répétait qu'elle devait partir, que madame de La Tour du Pin pouvait avoir besoin de ses services, mais elle ne faisait pas mine de s'en aller. Enfin, elle se décida et se fraya un chemin dans cette foule compacte. Je restai. Bientôt, il n'y eut plus aucun son émanant de la Chapelle, ni celui des chants, ni celui des prières. Les membres de la famille royale avaient dû se disperser, et rentrer chacun de leur côté, dans leurs appartements respectifs. À moins que les trois frères, après cette promenade improvisée, et à la suite de son succès spectaculaire, n'aient préféré ne pas se quitter et prendre leur repas ensemble avec leurs épouses, dans l'appartement de la comtesse de Provence, comme cela leur arrivait régulièrement... La foule continuait de badauder, répandue bien au-delà de la Place d'Armes et jusqu'à l'entrée des avenues de Saint-Cloud, de Paris, de Sceaux, mais les applaudissements diminuaient. Nous aurions eu besoin d'un signe pour nous relancer. Il ne venait pas. Je me sentais comme au théâtre, quand, après le dernier salut des comédiens, j'attendais désespérément leur retour, encore une fois... J'attendais en vain. Je vis au contraire que la plupart des fenêtres du château étaient fermées, les rideaux tirés. Et j'ai éprouvé soudain une tristesse – exactement comme j'avais eu ce sentiment de froid et de découragement le matin. J'avais vu s'ériger une sorte d'immense et parfait monument à la gloire du Roi. Je n'étais plus sensible qu'aux lézardes qui déjà le fendaient et à son manque d'assises. Je m'étais trop attardée. Je regagnai l'aile de mon habitation, l'aile du Midi où nichait mon abri.

Ce que j'omets de dire, et qui a motivé sans doute cette image, discutable, du monument, c'est que, les applaudissements cessant peu à peu, les discussions reprirent. À mes côtés, des Versaillais (l'un travaillait à l'auberge de *La Belle Image*, je l'avais déjà vu, parce qu'il venait livrer de la limonade au château) commentaient les derniers événements de la capitale. Non seulement ils ne mettaient pas en doute l'aberration d'une supposée prise de la Bastille, mais ils en étaient déjà, gaillardement, à commenter le projet suivant : le peuple se proposait d'édifier, à l'emplacement de la Bastille, un monument dédié *au Roi Louis XVI, restaurateur de la Liberté*, la place elle-même s'appellerait *Place de la Liberté*.

– À l'emplacement de la Bastille ? ai-je interrogé.

Il y eut un silence et des regards de méfiance à mon égard. Ils se sont éloignés. Le limonadier s'est retourné sur moi et a chuchoté quelque chose à ses compères.

Nuit

Dans le cabinet de travail de l'Historiographe
de France (de neuf heures à dix heures du soir).

J'ai ce trait de caractère qui, avec les années, ne s'est
pas amélioré : j'ai du mal à regarder la réalité en face.
J'avais entendu : « Le peuple a pris la Bastille. » J'avais
remarqué l'expression dure, fermée, sur le visage de la
Reine, lorsqu'elle était apparue au balcon, et ce geste
qu'elle avait eu, au lieu de présenter son fils, de le montrer à la foule, de plutôt chercher à le dérober. Elle l'avait
tenu devant elle à peine quelques minutes, puis l'avait
déplacé à ses côtés, et peu à peu l'enfant avait été en partie caché par sa robe (ce qui avait provoqué des remarques
haineuses autour de moi). Plusieurs fois la Reine s'était
retournée comme si quelqu'un avait dû venir chercher
son fils – son seul fils survivant – et tardait. Quelqu'un…
la Gouvernante des Enfants de France, bien sûr. J'avais
vu tout cela et il aurait valu la peine que mon esprit s'y
arrêtât, mais « il » ne le pouvait pas, « il » est comme ça.
« N'en parlons plus », la phrase fétiche du capitaine de
Laroche, m'est une disposition irrésistible ; presque irrésistible, parce que j'ai aussi une force d'obstination, une
anxiété latente, qui réagit aux signaux venus du dehors, et
qui, plus ou moins, m'oblige à les voir.

Et l'air de triomphe du Roi était-il vraiment convaincant ? Si tel avait été le cas, quelque chose de sa joie
se serait diffusé à la Cour, or il s'était passé tout le
contraire. C'était même étrange, ce contraste entre les
ovations délirantes de la part de la foule, et l'attitude
figée des princes et princesses au balcon, et du Roi lui-
même. Comme s'ils avaient été remplacés par des mannequins de cire.

Quand est-ce que le roi est roi ? s'était interrogé le
capitaine de Laroche. Certainement pas lorsqu'il se
mettait au balcon. Et la Reine encore moins.

Après souper (je mangeai seule dans ma chambre, où
j'avais rapporté sur un plateau un petit pâté de truite,
un artichaut et des fraises, grâce à une amie qui était au
service d'un marquis jouissant du privilège d'avoir
« bouche à la Cour », c'est-à-dire d'être nourri au château par les soins du Roi), je me rendis au cabinet de
travail de Jacob-Nicolas Moreau. J'étais sûre de l'y
trouver. Et même si, par exception, il n'y avait pas été,
je serais allée prendre, dans la petite bibliothèque attenante à son bureau, un ou deux livres pour la nuit.

Mon ami, l'Historiographe de France, était fort mal
logé. À dire vrai, il n'était pas logé. Il disposait seulement dans son cabinet de travail tout noirci par les bougies d'une grande armoire au fond de laquelle il avait
étendu une paillasse. Lorsque l'excès de fatigue le for-
çait, il s'y reposait une ou deux heures. Aller chez lui,
c'était donc se rendre dans ce réduit noir et pous-
siéreux, entièrement tapissé de livres, et situé à l'avant-
dernier étage, au troisième, dans l'aile du Nord, non
loin d'une des cinq ou six Bibliothèques du Roi, la
Bibliothèque des Combles, que développaient, mais
c'était selon des galeries resserrées, un premier puis un

70

second supplément de bibliothèque et plusieurs cabinets de physique et chimie. Proximité troublante pour
l'Historiographe qui se sentait ainsi vivre dans le
prolongement des passions studieuses du Roi. Jacob-
Nicolas Moreau travaillait constamment. Il était possédé par la conscience de l'importance de sa tâche. Il
était également tenaillé par la certitude qu'il devait,
par son mérite, effacer le crime que représentait, dans
la longue et vertueuse suite des Historiographes de
France, le nom du mécréant Voltaire.

Je ne me souciais jamais à l'idée de le déranger, car
il était assez en confiance avec moi pour simplement
me le dire, si tel était le cas. Mais dès que j'entrai, je
constatai que, très exceptionnellement, l'Historiographe
ne faisait rien. Il était assis non à sa table de travail,
mais dans un fauteuil bas, entre des piles de livres.
Aussitôt il se leva, m'offrit ce fauteuil et s'assit sur un
tabouret encore plus bas. De sorte que nous étions tous
deux très petits et totalement coincés dans ce dédale de
piles de livres. Au-dessus de ce paysage chaotique était
suspendu un immense crucifix. Le peu de lumière que
recevait cette pièce, par un jour de souffrance, éclairait
le Christ en croix. Mon ami me prit les mains et me
dit d'une voix morte (il me sembla même qu'il avait
pleuré) :

– Nous sommes perdus. Le Roi a renvoyé l'armée de
soldats étrangers, qu'avait fait venir monsieur de Puy-
ségur. Ce n'est que grâce à elle qu'il s'était senti assez
sûr de lui pour congédier Necker – en admettant que
c'était sa décision et non celle du comte d'Artois ou
de la Reine, mais, au point où nous en sommes, cela ne
change rien. Cette armée était son seul soutien assuré.
Il l'a renvoyée. Il a cédé à la pression de l'Assemblée
dite nationale. Il a cédé sur ce point. Il cédera sur tout.
Pensez, chère amie, qu'il a fait son discours aux dépu-

tés debout et sans chapeau sur la tête. C'est la fin. Je l'annonçais depuis longtemps, mais je suis le premier surpris, et catastrophé.

Je suis restée muette.

– Nous ne pouvons plus qu'espérer que les troupes régulières ne se laissent pas gagner. On dit qu'à Paris les Gardes Françaises ne sont pas sûres. Ici elles le sont encore, mais jusqu'à quand ?

– Et la Bastille ? on raconte qu'elle a été prise et qu'elle va être détruite. Que pensez-vous de pareille extravagance ?

– Ce que vous en dites vous-même : ceci est une outrerie. D'autres personnes m'en ont avisé. Mais là je dis NON. C'est impossible ! Nous sommes en mauvaise position, je ne le nie pas ; ce n'est pas une raison pour croire n'importe quoi. Raisonnons, bien chère. Une telle initiative peut-elle se prendre sans ordre du Roi ?

– Nnnon…

– Le Roi, à votre connaissance, en a-t-il donné l'ordre ? C'est, en effet, l'un de ses projets, anciens, de faire détruire la Bastille.

J'hésitai.

– Pas que je sache, non…

– Alors pourquoi voulez-vous qu'elle soit détruite ?

Il s'est mis à pleuvoir fort. Monsieur Moreau s'est levé. Il était de taille moyenne, plutôt petit, blême, le visage rond, les joues tombantes. Il s'est assis à sa table, a allumé une bougie. Je me suis sentie rejetée dans la nuit, sous les livres. Et, même lorsque je me suis retrouvée à son niveau, ce sentiment d'être *sous* persista. Il a répété :

– La Bastille ne peut être prise, ce serait une entreprise surhumaine, autant prétendre casser les Alpes, ou assécher l'Océan. Cela n'empêche : nous sommes perdus ; *déjoués*, comme a dit Monsieur.

« Curieux, avait ajouté l'Historiographe, que quelqu'un d'aussi raffiné et exigeant en matière de langage ait utilisé une pareille expression. *Déjoués*, je déteste ce mot. Le Roi parle bien, encore que je n'aie jamais pu en juger personnellement puisque je n'ai pas encore eu l'honneur qu'il m'adressât la parole, mais cela ne se compare pas avec le style de Monseigneur le comte de Provence. Il est poète, Monsieur. *Déjoués*, ce devait être un effet de la fatigue, physique et morale, de cette matinée. Imaginez : obliger Monsieur à faire à pied l'aller-retour du château à la salle du Jeu de Paume. L'aller seul était de la barbarie.

« Nous sommes perdus… » J'ai pensé à la Reine, à sa raideur en haut du balcon, à sa pâleur que soulignait sa robe sombre. J'ai pensé à elle comme à une statuette d'ivoire qui se dessinait avec précision sur un fond de deuil, ou comme une larme d'argent contre un drap noir. J'ai pensé à elle… Qu'allait-elle faire ? Et le Roi ? S'il n'avait plus d'armée, s'il n'avait plus aucun moyen d'être le maître de l'Assemblée nationale…
– Le Roi est moralement très éprouvé par cette défaite – une défaite aux allures de triomphe, mais une défaite. On ne connaît pas ses projets immédiats. Il s'est enfermé seul dans ses appartements. Il réfléchit… Ce matin, avant sa visite au Jeu de Paume, il a parlé, vaguement, de transférer l'Assemblée nationale à Noyon ou à Soissons, et de se rendre, lui, avec la famille royale, au château de Compiègne. Il maintiendrait ainsi la communication entre cette assemblée et lui, sans habiter le même lieu. Cette promiscuité est malsaine.
À cet instant nous avons entendu le frottement de pas de l'autre côté de la cloison, des pas rapides. On nous écoutait.

Nous sommes restés un moment silencieux, tendant l'oreille. Puis chacun s'est absorbé dans sa peine. Machinalement, je déchiffrais les titres des livres publiés par Jacob-Nicolas Moreau. Ils trônaient au-dessus de sa tête, et j'étais, à leur seule vue, emplie de vénération.

Insomnie de la Cour. Errances du côté des Grands Appartements (de dix heures à minuit).

Ces bruits suspects m'avaient affolée. Je craignais de sortir. Mon ami le devina. Il me proposa de m'accompagner à ma chambre. Il rentrerait ensuite dans son cabinet pour tenter de reprendre son travail, ses *Leçons de morale*. À peine dans le long et tortueux corridor qui menait au-dessus de la Grande Galerie, j'ai perçu quelque chose d'inhabituel. Ce corridor habituellement animé à cette heure du soir (à cet étage se trouvait également une partie des cuisines et l'on y travaillait jour et nuit) était vide. Par contre, au deuxième étage, où il y avait des appartements, et par conséquent qui aurait dû être tranquille alors, nous avons été surpris par le grand nombre de gens qui se dirigeaient, comme nous, en direction des Grands Appartements. Nous ne savions comment interpréter ce phénomène. Ce ne pouvait être une réjouissance nocturne. Les Menus Plaisirs étaient peu sollicités ces jours-ci. Et il n'y avait rien de festif dans l'expression des visages, ni dans les tenues. Il me sembla même que certaines personnes étaient en bonnet de nuit et robe de chambre.

Au fur et à mesure que nous approchions des Grands Appartements, il y avait de plus en plus de monde. Chacun semblait désorienté, un peu honteux d'avoir cédé à cette pulsion de sortir de chez soi, de venir dans les Grands Appartements et la Galerie, alors plongés dans la pénombre, et cela à seule fin d'être « plus près des nouvelles », comme nous le dit Lady Olderness. Personne ne s'était concerté, mais, progressivement, les gens qui étaient rentrés souper dans leurs appartements (les traiteurs, ce soir-là, avaient encore daigné se déplacer) et avaient entamé après le repas une partie de trictrac s'étaient aperçus qu'il n'y avait rien à faire : ils n'étaient pas d'humeur à s'amuser. Ils avaient alors commencé à se faire annoncer les uns chez les autres. Enfin, comme personne ne parvenait à rester chez personne, comme les conversations languissaient, comme il leur avait semblé que, tandis qu'ils restaient assis en compagnie, peut-être des décisions vitales se prenaient, l'anxiété avait fini par balayer les convenances. Ils avaient écourté les visites, étaient sortis ; et, comme l'Historiographe et moi-même, avaient découvert avec étonnement que tout le monde était dehors, dans cet étrange dehors propre au château, et qui désignait, hors de son propre logement, un espace de circulation publique, où l'on ne cessait d'attendre le passage du Roi ou de la Reine, et la chance pour soi de se montrer et d'être vu. Ce n'était plus ce dont il s'agissait cette nuit-là. Peut-être pour la première fois à Versailles, le trouble était trop fort pour que le perpétuel et tenaillant souci d'être vu continue d'agir. Des ombres se croisaient dans les escaliers, les couloirs, les antichambres. Personne ne parlait. Chacun, découragé, prévoyait les plus grands malheurs. Je fus bientôt la proie de ce découragement. L'Historiographe avait hésité à retourner travailler. Il se sentait partagé entre son devoir de témoin – il était celui qui devait rendre compte des événements du règne – et son devoir de moraliste : puisque à travers l'Histoire s'exprimait la volonté de Dieu, il devait la rendre aussi manifeste que possible. Enfin l'urgence d'écrire ses *Leçons de morale* avait été la plus forte. Il était rentré auprès de son grimoire et m'avait laissée à errer… J'étais mal à mon aise. J'aurais aimé rencontrer une personne proche. Parfois s'échangeaient, à voix basse, des nouvelles. Ce que j'entendais n'avait rien de rassurant. Il était question de la destruction des hôtels parisiens possédés par les nobles et de la mise à mort de leurs habitants. On disait aussi que des bandes armées rassemblées à Paris allaient attaquer le château. Ils étaient en marche. De Paris à Versailles, il leur faudrait combien de temps ? Douze heures ? quinze heures ? Ils arriveraient au matin. Tel était mon sursis. Je me souviens avoir pensé que j'avais oublié de prendre des livres pour la nuit.

Nous tournions en rond. Le moindre son nous faisait sursauter. Onze heures avaient sonné. De « sortir » n'avait pas apaisé la peur. Au contraire, elle s'était aggravée du spectacle de cet état hagard que nous nous donnions les uns aux autres. Elle gagnait, en même temps que l'insomnie et qu'une sensation d'étouffement. Dans cette situation, avec ce sentiment, terrible, de notre vulnérabilité, toutes les fenêtres étaient fermées. Les rideaux aussi. Et même, dans certaines salles, les volets et, à l'extérieur, les persiennes. Nous nous déplacions dans un air lourd et ténébreux. Par crainte d'être repérés du dehors, on n'avait allumé que très peu de bougies, comme on disait à la Cour, suivant en cela l'usage du Roi qui avait barré de son vocabulaire le terme de chandelle. Dans certaines pièces les bougeoirs déjà allumés avaient été éteints. L'obscurité y était aussi profonde que dans un bois. Nous nous frôlions, nous bousculions par mégarde. Des yeux brillaient de lueurs bizarres.

Des gens commencèrent à avoir soif. Ils désiraient du vin, de la bière, des fruits. Ils appelaient, sonnaient. Pas de réponse. Ils ne pouvaient y croire, sonnaient à nouveau. Ils criaient d'une voix assurée d'abord, puis de plus en plus incertaine. La personne qui avait appelé restait, la main sur le cordon, sans comprendre. À ses côtés, il se formait un attroupement. « Mais qu'est-ce qu'ils font ? Ils n'entendent plus quand on les sonne ? Où sont-ils ? Où sont passés nos domestiques ? » Beaucoup habitaient à Versailles des hôtels particuliers, des demeures flambant neuves, tandis que leurs maîtres préféraient un logement au château, quel qu'en soit l'inconfort, pour n'avoir pas à retourner chez eux chaque fois qu'il leur fallait changer de toilette, et être toujours dans les parages, à portée de regard. Mais ceux-ci eurent soudain l'impression que leur propre demeure était occupée par l'ennemi, qu'ils ne pourraient plus jamais rentrer chez eux. Ils se virent devant leurs hôtels barricadés. Des vociférations de joie leur tombaient dessus avec des bouteilles jetées directement dans la cour. Dans *leur* cour. À Versailles, les domestiques s'étaient éclipsés, les antichambres s'étaient vidées. Mais quand exactement, quand cela avait-il débuté ? Avant le souper ? Un peu plus tôt ? Dans la Galerie, je remarquai l'absence des gardes qui, chaque nuit, y installaient leur lit de camp. Étaient-ils à comploter avec les domestiques ? S'étaient-ils, tous ensemble, tournés contre le château ? Étaient-ce eux qui guidaient les brigands en train de marcher sur Versailles ?

La nuit qui emplissait par larges nappes la Grande Galerie et les Appartements et fondait dans une totale obscurité les couloirs, les antichambres, les vestibules, accentua mon sentiment de perdition. On alluma quelques bougies. Ce me fut un réconfort physique, sans plus. Il était plus facile de circuler, mais, moralement, c'était tout aussi éprouvant. L'angoisse ne nous unissait pas. Nous nous observions les uns les autres à la dérobée. Nous les *logeants*, comme on appelait alors ceux qui avaient le privilège d'habiter au château (un mot que j'adorais me répéter : logeant, logeante… je logeais…), nous expérimentions l'envers cruel de notre isolement. C'était bien, c'était merveilleux de vivre ainsi séparés, dans une ignorance souveraine. C'était inquiétant, c'était épouvantable de ne rien savoir, ou presque, lorsque le reste du pays se liguait contre nous. Or nous savions très peu. Et ce que nous apprenions était tellement incroyable… Était-ce moi qui, à force d'évaluer mon temps au gré de mes séances de lecture auprès de la Reine, avais complètement dérivé ? Peut-être étais-je allée plus loin que les autres dans l'enfermement de ce « pays-ci », mais il me semblait qu'autour de moi, chacun, titubant dans ses ténèbres, en était au même point.

Je me tenais éloignée des fenêtres. Je préférais les encoignures des pièces, les coudes des couloirs, tous ces espaces indistincts à usages éphémères et désignations variables, dont abondait le château. Je me glissais le long des murs opposés aux ouvertures sur le dehors. Car c'est de celui-ci qu'avait surgi cette chose atroce : L'ÉVÉNEMENT. Le mot était tout à fait nouveau à la Cour, où l'on chérissait l'*anecdote*, l'*historiette du jour*, qu'il fallait mince, infime, et que l'on s'ingéniait, de répétition en répétition, à étoffer jusqu'à en faire, pour quelques heures, et si elle était servie par un conteur à la hauteur, un récit fabuleux. L'événement, par contre, d'emblée important, ne laissait pas de place à l'invention. La chose m'effarait, le mot me dégoûtait. Je le prononçais le plus confusément possible, sans détacher les syllabes. Je prononçais … *ment*, sans pouvoir me dissimuler cependant que quelque chose essayait de percer.

La Liste des 286 têtes qu'il faut abattre pour opérer les réformes nécessaires.

La nuit apporta, assez vite, une terrible fatigue. L'endurance à rester debout, qualité majeure de qui demeure à la Cour, ne servait plus. On cherchait des endroits où s'asseoir. On s'endormait n'importe où. Des personnes étaient couchées à même le sol, sur les tapis. J'étais attentive à ne pas leur marcher sur les mains. J'entrai dans le Cabinet de l'Accès aux Terrasses, où, quoiqu'il ne menât plus à aucune, j'avais toujours plaisir à me trouver, car par son nom seul il réussissait à me faire imaginer le Versailles du roi Louis XV, un château tout en volières, salons de vignes et de treillages, terrasses bordées de bougainvilliers... mais alors je n'y découvris qu'une triste assemblée, sur laquelle, en quelque sorte, je butai. Devant un banc accolé contre un mur étaient alignés quelques pliants. Un petit groupe se parlait ainsi, à l'obscur, chacun enfoncé dans son tourment. Pourtant, peu à peu, je me suis sentie un peu mieux. C'était l'effet d'entendre à nouveau ne serait-ce qu'un semblant de conversation. Car je croyais – sans me le formuler clairement – que si nous pouvions à nouveau nous parler, si nous réussissions à sauver, tel un feu sacré, l'éternelle conversation qui se tenait depuis l'installation de la Cour à Versailles, le château vivrait, et, avec lui, la royauté.

Les phrases exsangues, qui passaient d'une personne à l'autre sur un ton las mais acharné à poursuivre, me ranimèrent. Je ne sais plus très bien de quoi l'on parla... De sujets anodins... Peut-être du nouveau système de chauffage que le Roi allait faire installer dans la tribune royale de la Chapelle pour l'hiver prochain, ou de *La Veuve du Malabar*, le grand succès de l'Ambigu comique à Paris. Enfin le vieil abbé Noslin, Contrôleur des Pépinières du Roi, eut le courage d'affronter la situation. « Il y a comme un effet de coalition », dit-il avec ce calme qui avait réussi, plus de dix ans auparavant, à convaincre le jeune Louis XVI de faire déraciner les vieux arbres. Ce devait être un peu maigre au début, mais en 1789 c'était splendide. Le parc, bien que délabré dans certains bosquets, avait atteint un équilibre parfait. J'aimais ces arbres. Dans mes lieux de promenade favoris, j'avais le sentiment de les connaître un à un et qu'eux aussi me connaissaient. La plupart venaient d'ailleurs, comme moi. Ils étaient arrivés un jour à Versailles, et y avaient pris racine. Je leur parlais et eux aussi avaient des choses à me dire… Dans les débuts de mon installation au château, monsieur de Montdragon m'avait fait faire une visite du parc. Il m'avait tout de suite avertie, lorsque j'avais commencé de m'extasier sur la grandeur de la nature, que tout était artificiel à Versailles, tout y avait été voulu, même les arbres. Les premiers transplantés l'avaient été du château de Vaux-le-Vicomte. Lorsqu'il regardait les arbres de son parc, Louis XIV avait devant lui les trophées arrachés à Fouquet, les signes de sa victoire contre le Surintendant trop somptueux. Rien n'était d'origine à Versailles, sauf la noblesse. Et c'était l'essentiel. Le reste était son décor… « Comprenez-vous bien ceci, Madame ? » avait ajouté monsieur de Montdragon. J'avais dit oui. Ce n'était pas complètement vrai, mais je comptais sur le temps pour me le faire comprendre… Cependant, il ne s'agissait plus d'arbres, ni d'étagement de frondaisons.

— Il y a comme un effet de coalition, répéta le vieil abbé.

Un silence suivit. Monsieur de Goulas, homme de tempérament, de grand jeu et de bonne chère, se reprit le premier :

– Un effet de coalition, je vous l'accorde, monsieur l'abbé, mais entre qui et qui ?

L'abbé Noslin n'était pas en mesure de préciser. Mais monsieur de Feutry répondit pour lui. « Entre les mécontents », dit-il. Et il raconta un incident dont il venait d'être témoin, au château même. Il passait la veille, vers les six heures du soir, dans la Grande Galerie. Il avait remarqué à l'entrée, du côté du Salon de la Guerre, et donc tout près des Appartements du Roi, un groupe aux agissements louches. Quatre ou cinq personnes étaient en train de distribuer des imprimés. Des domestiques, des gens du peuple se pressaient pour en avoir. Monsieur de Feutry avait dit à son laquais de lui en prendre quelques-uns. Celui-ci s'en était fait remettre et avait passé un bon moment – et ce malgré l'attente de son maître – à parler avec les gens qui distribuaient les feuilles. Monsieur de Feutry, trop impatient, n'avait fait aucun commentaire. Il s'était précipité pour lire. C'était un pamphlet intitulé *Liste des 286 têtes qu'il faut abattre pour opérer les grandes réformes nécessaires*. 286 têtes ! Il y eut un léger tassement sur le banc de velours.

– Vous souvenez-vous des noms de ceux dont la tête est visée ? interrogea l'abbé Noslin

– Certainement pas vous, monsieur l'abbé. Ni moi, ni, me semble-t-il, personne d'entre nous. Encore que j'ignore un peu en quelle compagnie j'ai l'honneur de me trouver, tout se passe si peu protocolairement cette nuit… Les deux premiers noms sont ceux de la Reine et du comte d'Artois. Cela, j'en suis sûr.

J'ai frémi.

– Couper des têtes pour opérer des réformes, je ne

comprends pas, dit une dame qui m'était complètement inconnue.

Elle avait une voix claire, enfantine. Personne ne lui répondit.

Un homme demanda à monsieur de Feutry :

– Selon vous, qui étaient ces gens, ceux qui distribuaient le pamphlet ?

– Je ne sais pas. Ce que je peux affirmer, c'est qu'ils étaient de *très* mauvaise mine.

Une coalition de mécontents, des individus de *très* mauvaise mine, tout ceci se brouillait dans ma tête. Mais où étaient-ils jusqu'alors ? Pourquoi surgissaient-ils tout à coup ? Ils avaient l'air heureux jusque-là. Dans les gazettes je n'avais jamais lu que : « Le peuple fit éclater son allégresse », ou bien : « Le peuple, par ses cris, ses applaudissements, montra sa joie de voir ses Souverains. »

Justement, me dit-on, le peuple n'est plus le peuple. Il a été acheté. Par des soudards, des étrangers, des moustachus armés de gros bâtons. Ils se mêlent à la populace, l'excitent par des discours, distribuent de l'alcool et de l'argent. Et l'on se mit à parler de prisons entières qui déversaient leur contingent de criminels. Fous de liberté, aimant tuer, ils étaient à la fête. Ils se battaient à coups de pierres et de barres de fer.

J'étais sur le point de m'évanouir. Je songeais avec effroi : dans les hôpitaux, les lépreux, les vénériens, qui allait leur interdire de se répandre, de nous violer, de nous contaminer ? Et ils nous bâillonneront avec des pansements durcis de sang et de pus… Ô Mon Dieu ! je préfère mourir tout de suite. Et pendant quelques secondes j'allai jusqu'à souhaiter que la Cour se suicide. Et que, lorsque les brigands arriveraient, ils ne trouvent que des cadavres. Quelle horreur ! Seigneur ! Quelle horreur !

J'entendis :

– À Dijon, les bouchers se sont portés aux derniers
excès. À Vizille, à Lyon, à Marseille, toutes les corpo-
rations leur emboîtent le pas. Il n'y a pas que les bouchers, les autres métiers vont suivre leur exemple. Les
charcutiers, les cordonniers, les maçons, les charpen-
tiers, les ferrailleurs et ferreurs. Ils ont des outils et
savent s'en servir.

Le château aussi était plein de maçons, plâtriers,
cloutiers… Nous vivions nos derniers instants… Mes
voisins se parlaient par-dessus ma tête. Chacun annonçait des atrocités encore inédites. Notre cellule d'angoisse dans le Cabinet de l'Accès aux Terrasses allait
exploser.

– Quel est ce délire ? reprit la même voix claire et
enfantine, avec quelque chose de gémissant. Sa Majesté
sort de son cabinet de travail en pleurs, parce que, dit-
Elle, parlant de son peuple, « ses enfants la font souffrir ». Au même moment, à Paris, le peuple défile en
criant : « Rendez-nous monsieur Necker, c'est notre
père ! » Qui est le père ? le Roi ou monsieur Necker ?
Et que veulent les enfants ?

À nouveau personne ne lui répondit. Je le regrettai.
Moi aussi j'aurais aimé comprendre. Puis j'entendis :
« Les enfants veulent choisir leur père. C'est le nouvel
Évangile, madame la comtesse. » Je ne sais pourquoi,
mais je fus prise de tremblements.

Autrefois, à cette époque d'heureuse tradition…

Il faisait trop sombre et étroit dans ce cabinet, cela
rendait fou. Je me dirigeai vers des pièces moins obs-
cures et, comme je m'en aperçus aussitôt, on gardait
plus de tenue si quelques bougies étaient allumées.

C'était ainsi dans le Cabinet des Dépêches. Je reconnus monsieur de Pujol et monsieur de Chèvreloup. Ils étaient en pleine discussion (comme dans toute nuit de veille, il y avait des alternances d'épuisement et des regains d'énergie). Ils se demandaient comment le parti de la Cour avait pu en arriver là. Ils essayèrent d'abord d'en faire porter la responsabilité aux Anglais, toujours prêts à se réjouir des malheurs de la France et, par conséquent, à y prêter la main ; puis, ils incriminèrent les Illuministes et les Francs-Maçons, et enfin, avec davantage de conviction, les Philosophes... Les Philosophes ? J'étais tout ouïe. Dans mon sac à ouvrages, il ne s'en transportait guère. Mais les deux messieurs, sans les approuver, paraissaient les avoir pratiqués. Leurs efforts de sape systématique, disaient-ils, leur acharnement à propager l'incrédulité, leur manie de défendre le travail comme instrument de libération, leur défi de promettre le bonheur avaient chaviré les esprits. Ces gens étaient dignes des derniers supplices. C'était des esprits fumeux, des cabaleurs de tout crin. Le droit au bonheur, pouvait-on imaginer idée plus calamiteuse ?

Les Philosophes accaparèrent. À leur propos, chacun avait son mot à dire. Rapidement le ton devint aussi exalté que dans le réduit que je venais de quitter. Monsieur de Pujol reprit la parole D'ailleurs tous ces Philosophes, qui nous tannaient avec leurs propos sur l'égalité, étaient d'ambitieux personnages. Ils n'avaient qu'un désir : surpasser leurs collègues. Ils étaient dévorés d'ambition. C'étaient des malheureux que rongeait la mégalomanie. Ils ne supportaient pas les rois parce qu'ils se prenaient eux-mêmes pour des rois. Pour des rois ! pour des dieux ! Les Philosophes prétendaient qu'on leur voue un culte.

— Remettons-les à leur place, souvenez-vous, ce n'est pas si lointain... Rappelez-vous, sous le dernier règne, même quelqu'un d'aussi amoureux des Belles-Lettres que le prince de Conti n'aurait jamais laissé un Philosophe s'asseoir à sa table. Pas même à la campagne.

Était-ce *dernier règne* ou *campagne* qui fit dévier monsieur de Pujol, mais il eut un accès de nostalgie. Et il se mit à débiter (j'entends encore ce rythme de mélopée, cette langueur de barcarolle dont étaient imprégnés ses mots colorés de l'accent du Midi) :

— Sous le roi Louis XV, à cette époque d'heureuse tradition, tous les princes entretenaient un auteur qui faisait partie de leur maison. Ainsi Collé appartenait au vieux duc d'Orléans, Laujon, au prince de Condé. Dans les fêtes, ces beaux esprits étaient fort consultés. Ils faisaient des couplets, nous amusaient de leurs bouts-rimés. Nous les traitions avec courtoisie, je dois même avouer que j'ai eu souvent du plaisir à m'entretenir avec eux. Mais il n'était pas question de les laisser dépasser les bornes. Ils prenaient leur repas à une table à part, avec les écuyers et les maîtres d'hôtel ordinaires. Quant à s'asseoir à la table des princes… (monsieur de Pujol eut un début de fou rire nerveux) soyons sérieux ! Jamais un bel esprit ne se serait assis à la table d'un prince. Ils étaient autorisés à prendre, après déjeuner, une glace dans le salon. Quelquefois, selon le bon plaisir du prince, ils revenaient plus tard dans la salle de billard pour voir jouer, mais toujours debout, comme lorsqu'ils prenaient des glaces. Ils restaient une demi-heure, quarante-cinq minutes, tout au plus. (Et il scanda ces derniers mots de coups de canne.)

Le conteur, qui rappelait ce que tout le monde savait, était écouté avec béatitude. Mais soudain, peut-être parce qu'il était trop cruel de songer à ces temps disparus, l'implacable conscience du moment reprit force. Le règne de Louis XV était passé. Désormais les gens à talents mangeaient des glaces à toute heure. Ils les dégustaient même couchés... Autour de la table des messieurs somnolaient la tête sur leurs bras, comme des écoliers paresseux. Je me serais volontiers assise moi aussi, mais tous les sièges étaient pris. J'allai partir (j'envisageais le Cabinet des Chiens, qui possédait un large canapé) quand, à l'entrée, retentit une voix sèche.

Une voix dominatrice, la voix d'un homme ? d'une femme ? Ce n'était pas évident. Ce qui l'était par contre, c'était l'envie de provoquer propre à cette personne et la formidable énergie qui l'animait. Au point de découragement atteint, on n'avait pas envie de reprendre un débat sur quoi que ce soit, et surtout pas sur les Philosophes. Mais la personne nouvelle venue semblait toute prête à continuer de discuter. La voix autoritaire asséna :

– Tous les Philosophes ne sont pas des « beaux esprits », des amuseurs. Les vrais Philosophes sont indépendants. Ils travaillent. Ils pensent. (Les derniers mots étaient soulignés avec une emphase qui se voulait blessante...) Il y a du bon et même de l'excellent chez les Philosophes. Qui n'a pas lu *L'Esprit* d'Helvétius, ou *Le Contrat social* de Jean-Jacques Rousseau ne saisit rien de la dynamique de l'époque.

Diane de Polignac.

À ces mots je reconnus la comtesse Diane de Polignac, j'eus encore plus le désir de m'éclipser, mais je ne l'osai pas : cette femme me tétanisait. C'était bien elle ! Elle parlait de dynamique, quand nous étions en train de chuter. C'était son style de découvrir en toute situation le mouvement qui pouvait la porter... Elle se campa au milieu de la salle. Aussitôt les hommes se levèrent. Ils s'en voulaient de s'être laissés aller en présence d'une personne aussi considérable. Diane de Polignac, massive, sans beauté, subjuguait par son intelligence, sa hauteur. Elle ajoutait à ces « qualités » une violence non dissimulée. On se sentait vis-à-vis d'elle comme en face d'un chef de guerre, et, lorsqu'elle convoitait un homme, elle ne s'embarrassait pas de détours pour l'obtenir. Mais, au fond, c'était plutôt avec son frère qu'elle formait véritablement couple. Le duc de Polignac avait des manières séduisantes. Sa carrière avait été d'une rapidité inconcevable. Après avoir obtenu la survivance de la charge de Premier Écuyer du Roi, il avait été nommé Directeur des Postes et des Haras. Enfin, pour accroître cette suite de succès, il avait reçu le titre de duc héréditaire... Ce n'était pas, on le devine, à son seul talent qu'il devait sa prospérité, mais à la confiance entière qu'il accordait à sa sœur. Lucide sur les facultés politiques de celle-ci, qui étaient incomparablement supérieures aux siennes, il s'était remis entre ses mains et exécutait à la lettre tout ce qu'elle lui conseillait. Diane avait la détermination, l'audace, un instinct calculateur qui faisait qu'elle détectait dans l'instant ce qui lui était profitable. C'est grâce à ce sens qu'elle avait immédiatement deviné, aux tout premiers signes de l'amitié de la Reine pour Gabrielle de Polignac, qu'elle tenait la clef de la toute-puissance. Diane et son frère régnaient sur Versailles, mais ils se servaient pour cela d'un appât : Gabrielle. Ainsi tout le clan Polignac, à la tête duquel décidait et manipulait Diane, dépendait d'un lien fragile, sentimental, passionnel : l'amitié de la Reine pour sa favorite. Du jour au lendemain, l'éclatante préférence accordée à cette famille pouvait cesser. Il suffisait qu'une fois la Reine demeure insensible au sourire de Gabrielle, à ses grâces, à son air d'ignorer complètement qu'elle se trouvait à la Cour de Versailles.

Gabrielle avait l'art de traverser les Grands Appartements comme s'il s'était agi d'un jardin privé. Avec une tranquillité qui suspendait le souffle. On pouvait croire, à l'observer, qu'elle n'avait aucune notion de sa chance : avoir été remarquée par la Reine, être devenue son amie, et surtout l'être restée, malgré les intrigues que l'on ne cessait d'inventer pour les brouiller. On introduisait des élégantes auprès de Marie-Antoinette pour qu'elles captent son attention : elle ne les voyait pas…

Diane avait gâché plus d'une promenade de la Reine avec son amie. Celle-ci, douée de la faculté de ne pas entendre et habituée aux engouements intellectuels de sa belle-sœur, n'en souffrait pas. Mais la Reine endurait le martyre. Elle ne réussissait pas à faire la sourde oreille, peut-être parce qu'elle ne pouvait pas imaginer une conversation dont elle n'aurait pas été le centre, ou bien en continuité avec le temps où, encore peu sûre de son français, elle écoutait avec une extrême attention par crainte de manquer un mot. Pendant les tirades sur Jean-Jacques Rousseau, la Reine détournait la tête et avait recours à son éventail. Diane, les yeux brillants, cambrée sur sa courte taille, développait un concept. À l'arrivée au château de Saint-Cloud, la Reine était si abattue qu'elle n'avait plus envie de descendre. Le carrosse faisait un aller-retour dans la grande allée du Belvédère. Elle préférait rentrer à Versailles, sans un regard pour les fontaines, les roseraies et la jungle du jasmin. Gabrielle, la tête renversée sur un coussin, souriait. Diane en profitait pour poursuivre. La Reine étouffait un gémissement. Les idées abstraites lui causaient une douleur physique. L'intelligence trop voyante lui faisait horreur. Elle ne l'appréciait que fondue dans la douceur d'un caractère…

Appuyée contre une cheminée, la comtesse prisait. Sa rude diction était entrecoupée de puissants reniflements. Tout près d'elle, je fixais, sous le duvet qui ombrait sa lèvre supérieure, sa bouche vorace. Diane, à son habitude, discourait. Le tabac s'accumulait en vagues sur sa poitrine. Face à l'impérieuse comtesse, les gens se conduisaient comme des enfants pris en faute. Diane, amusée, les observait, qui s'avilissaient à plaisir. Pour ma part, j'étais captivée par ses grosses lèvres peintes, sa poitrine-dépotoir, ses mains carrées. Je dormais debout... Je ne recommençai à écouter ce qui se disait que lorsque monsieur de Feutry, transfuge lui aussi du Cabinet de l'Accès aux Terrasses, raconta à nouveau l'incident du pamphlet. Comme tout à l'heure, on voulait à tout prix savoir si son nom n'y était pas. Une liste... Celle-ci ne se chantonnait pas en comptine. Elle était certainement déjà affichée sur les murs de Paris.

Diane, sur cette liste, était en excellente position. Pas la première puisque la place revenait à la Reine, mais non loin. Elle avait commencé par en plaisanter, mais, après un reniflement bien senti, elle eut une de ces brusques ruptures de ton qui lui étaient familières. Mais celle-ci, à cause du moment où elle se produisait et pour l'irrésistible accent de conviction et de sincérité avec lequel Diane soudain s'exprimait, m'est restée gravée dans la mémoire.

Abandonnant le persiflage, Diane se mit à blâmer tant de bavardage inutile. Elle nous voyait, elle-même incluse, en train de perdre en considérations égoïstes le peu de temps qu'il nous restait pour mobiliser nos forces et les mettre au service de la famille royale. Elle parlait admirablement de fidélité, de l'urgence de sauver le Roi et la Reine, de sacrifier notre intérêt person-

nel à ce devoir. Elle parlait, parlait. Toute proche, bai-
gnant dans son odeur de tabac, stupéfaite d'entendre de
sa part de si nobles paroles, je baissais la tête. Fidélité,
Sacrifice, Salut du Roi et de la Reine… S'apprêter à
mourir pour eux, nous leurs sujets, leurs vassaux… Sa
voix se faisait de plus en plus sonore, irrésistible, nous
vrillant la conscience… Diane, maintenant, tonnait :
« Tout annonce, tout prouve un système d'insubordina-
tion raisonnée et le mépris des lois. Les droits du Trône
ont été mis en question… Déjà on a proposé la suppres-
sion de droits féodaux comme l'abolition d'un système
d'oppression… Mais que Sa Majesté n'éprouve aucun
obstacle dans l'exécution de ses volontés, son âme juste
et sensible pourrait-Elle se déterminer à sacrifier, à
humilier cette brave, antique et respectable Noblesse
qui a versé tant de sang pour la patrie et pour les
rois ?… En parlant de la Noblesse, les princes de votre
sang vous parlent pour eux-mêmes… Leur premier titre
est d'être gentilshommes… » Diane continuait, emportée par l'éloquence. Je ne voyais plus ses lèvres bouger.
J'entendais seulement les reproches de mon cœur. Aux
mots proclamés du *Mémoire des Princes*, des silhouettes étaient apparues, elles se pressaient aux deux
portes du Cabinet des Dépêches. Les assiégés allaient-
ils se réunir, s'armer ? Refuser le fatalisme des condamnés et mourir au combat ? Je vibrais. J'eus des images
de croisades, des élans d'héroïsme et d'amour courtois.
Je vis la Reine à cheval et en armure. Derrière elle,
étendards déployés, le Roi et les princes du sang…
Diane m'avait à la fois affligée de culpabilité et survol-
tée. Je traversais d'autres salles, m'attendant à trouver
tous les logeants sur le pied de guerre… Daignez, Sire,
écouter le vœu de vos enfants… dicté par le désir de
tranquillité publique et du maintien de la puissance du
Roi, le plus digne d'être aimé et obéi, puisqu'il ne veut

que le bonheur de ses sujets… Les princes du sang… Le comte d'Artois, le prince de Condé, le duc de Bourbon et le prince de Conti… Ils signaient avec leur sang… Je voulais, moi aussi, verser mon sang…

Je n'ignorais pas le cynisme de Diane de Polignac, ça ne l'avait pas empêchée de me donner le sentiment d'être coupable. J'ai cru à un revirement de sa part, à une prise de conscience soudaine de l'importance de sa dette à l'égard des Souverains. J'avais perdu mon temps à écouter des bavardages au lieu de voler auprès de la Reine. Je me dis qu'il me fallait retourner dans ma chambre. Stagner ici n'avait pas de sens. N'aidait pas. Ne l'aidait pas. J'ai dû penser aussi que, si jamais la Reine me faisait demander, j'étais introuvable. C'était assez pour me décider. C'était horrible ! Comme si je m'étais dérobée à ma tâche l'unique fois où ma présence aurait pu être d'un secours réel. Je devais remonter chez moi, attendre son appel. Hélas ! j'étais trop épuisée, incapable de faire le moindre mouvement. J'aurais aimé une tasse de chocolat pour me réconforter. J'allais en faire la demande à Honorine que je crus reconnaître dans un groupe. Elle portait la même longue cape verdâtre que ce matin. Ses boucles brunes lui faisaient des petites cornes autour de la tête. Je n'eus pas le temps de lui parler, elle m'avait devinée : « Bien sûr, Agathe, vous aurez tout de suite votre tasse de chocolat. Je sonne un domestique et il vous l'apporte. » Elle agita ses boucles, et se suspendit de toutes ses forces à un cordon de sonnette. Je voulus lui crier de ne pas faire ça, mais il était trop tard. Honorine avait disparu et ce n'était pas un domestique, mais toute une armée qui se dressait devant moi, et ils ne m'apportaient pas de chocolat. Ils étaient là, immenses et d'une visibilité insoutenable, comme phosphorescente. Leurs livrées étaient de toutes les couleurs, bleu des Garçons de Versailles, rouge de la Reine, vert du comte d'Artois, rose du prince de Ligne, mais la couleur de la livrée des domestiques – normalement la seule chose que l'on considérait – était devenue secondaire. Elle était effacée par le sentiment de leur nombre et de leur présence monumentale. Ils étaient incroyablement grands et forts, avec de larges visages et de terribles mains rouges et osseuses. Tout en eux était menaçant, mais surtout les mains qu'ils balançaient devant eux comme des serpes. Ne regarde pas ça, me disais-je. Détourne ton regard. Et la phrase du *Manuel des bonnes manières* me revint : « Ne vous abaissez pas à regarder un laquais, ne vous abaissez pas à regarder un chien. » C'était plus fort que moi, je ne pouvais détacher mon regard. Dans l'avancée conquérante des laquais, dans le scandale de leur visage soudain visible et de leurs mains nues, il y avait quelque chose d'excitant – quelque chose d'effrayant et d'attirant à la fois.

Quand je repris conscience, un homme somnolait sur le canapé où j'étais allongée. Il avait refermé sa main sur ma cheville. Son souffle était court, pénible. Je n'osais bouger. Tout près, deux hommes tentaient de se redonner du baume au cœur :

Pour moi, disait l'un, j'accorde la plus grande confiance au baron de Breteuil, il est excellent qu'il soit le ministre de notre nouveau gouvernement.

– Un ministre catholique, royaliste et français. Ce qui après un banquier protestant, républicain et suisse constitue un changement agréable.

– Ce Jacques Necker, de surcroît, nous est arrivé de l'inconnu. Qui est-il ? Qui a jamais entendu parler du père de ce quidam ? De sa fille, Mme de Staël, certes, nous avons entendu parler, mais de ses ancêtres, nullement… Je crois à la sagesse des proverbes… Bon sang ne saurait mentir. Monsieur le baron de Breteuil a comme son grand-père, que personne n'a jamais égalé comme Introducteur des Ambassadeurs, un sens parfait des convenances. Ce peut être assez pour nous tirer de ce… faux pas.

— Monsieur de Breteuil a su s'entourer d'hommes de mérite.

— J'ajouterai que son programme est sans réplique. Il a demandé au Roi cent millions et cent mille hommes pour vaincre la rébellion. Ceci est concis, lumineux, admirable.

(L'homme qui me tenait la cheville s'agita dans son sommeil. L'impudeur de son geste me paralysait. Je me demandais si j'allais passer le reste de la nuit le pied abandonné à un inconnu.)

— Je l'approuve entièrement. Cent millions et cent mille hommes. Voilà quelqu'un qui ne fait pas de grandes phrases, qui n'écrit pas de traité, mais qui va tout droit au résultat. Il faut que le Roi, pour une fois, n'écoute pas son parcimonieux et pathétique instinct de bourgeois économe (un fils de Saint-Louis à l'esprit de boutiquier !) et lui accorde sans tarder de l'argent et des soldats. Et nous passerons à autre chose. Cet état de fermentation n'a que trop duré.

Le dormeur s'était réveillé. Lorsqu'il prit conscience de l'incongruité de son geste, de l'immensité de ma honte – je m'étais dévoilée jusqu'au mollet en me retirant –, il ne sut comment se faire pardonner…

Chez la Reine, dans le Grand Cabinet doré. Ses préparatifs de départ (de minuit à deux heures du matin).

J'avais la tête bourdonnante, les tempes douloureuses, j'avais envie d'une fontaine pour m'asperger d'eau. Ou, plus simplement, de mon lit pour prendre un peu de repos. Mais juste au moment où je m'engageais dans la Cour des Princes je fus arrêtée par un valet de la Reine. Il me remit un message écrit de la main de madame Campan, Première Femme de Chambre de la Reine. La seule vue de son écriture ronde, appliquée, servile, aussi complaisante et stupide qu'elle, redoubla le poids de ma fatigue. Mais, eu égard à l'origine du message, je n'aurais pas songé à me dérober. Au contraire, je ne fus que reconnaissance pour cet ordre, impromptu, de me rendre chez elle. C'était une heure folle pour une séance de lecture régulière, mais la Reine avait très vite introduit l'usage de me faire appeler n'importe quand, lorsque décidément, et même en ayant reculé le plus tard possible l'heure de son coucher, elle sentait que le mécanisme de l'insomnie se mettait en place. Dans ma voix, qui n'avait paru que « sourde », et commodément discrète à mon protecteur, monsieur de Montdragon, la Reine avait aussi perçu une vertu apaisante. Je pouvais sauter un passage, ou lire deux fois le même, la Reine ne le remarquait pas. Elle était sous l'emprise d'un désir d'oubli, d'une invite que, sous-jacente aux mots, ma voix lui portait : « Fermez les yeux, reposez-vous. » J'accourais, ensommeillée, à peine rajustée, un habit jeté sur ma chemise de nuit. J'arrivais, une petite table où brûlaient quatre bougies était préparée. Je me glissais dans l'ombre et ouvrais le livre. Parfois, à cause des courants d'air, les flammes mouvantes emportaient les mots dans un roulis de vagues. Il y avait forte mer sur mes pages, cependant que la Reine, étendue sur une méridienne, m'écoutait comme on écoute une musique nocturne. Les mots se succédaient, presque murmurés en creux de vagues. J'étais saisie d'un découragement violent, bientôt surmonté, comme ma voix remontait et que je la sentais assez forte pour nous sauver toutes deux des affres de ces heures à propos desquelles personne n'avait su inventer le cérémonial qui convienne. *Toutes deux*, j'osais me le dire. Cette secrète indécence me faisait rougir. Je jetais vers la Reine un coup d'œil rapide, comme si elle avait pu deviner mon audace. Elle semblait au comble de l'inconfort. Elle s'étirait, s'asseyait, se prenait la tête dans ses mains. Puis elle se recouchait, fermait les yeux. Mon office, irrégulier, tenait à la phase la plus étale de la nuit. Il relevait de cette zone, redoutable, où ce qui vous est arrivé de pire revient et vous assaille à nouveau, vous tire vers le fond. De cette zone où l'on se noie. J'étais passeuse de ce qui ne parvient pas à passer.

« Endormez-moi, Madame », demandait quelquefois la Reine, dans un soupir.

De sa main gantée de blanc, le valet éleva un flambeau. Je le suivis. En passant à côté de la Salle des Gardes de la Reine, j'entendis un bruit confus de voix d'hommes, de verres choqués, d'armes qui tombent. Je perçus aussi des refrains chantés dans des patois qui m'étaient tellement incompréhensibles que je les pris pour des langues étrangères. Je crus même que c'étaient des soldats de l'armée des étrangers, tout juste congédiés, qui étaient venus, malgré le contrordre du Roi, porter leur soutien à la Reine. Ce bruit emplissait l'Antichambre du Grand Couvert, complètement vide ; mais, tout de suite après, il a suffi que s'ouvrît devant moi une petite porte matelassée et doublée de gros de Tours vert sombre, dans l'angle de la Pièce des Nobles, pour trouver le calme de la Bibliothèque, encore accru dans la petite pièce attenante, dite du Supplément de Bibliothèque. Une impression de protection et d'isolement qui culmina lorsque je fus au cœur de ses cabinets intérieurs, de cet ensemble d'espaces miniatures, peu éclairés, dans ce qu'on appelait le Grand Cabinet intérieur, ou Cabinet doré.

Grand, il ne l'était point, mais doré, il l'était. Et tout cet or répandu sur les boiseries blanches, autour des miroirs, en guirlandes, rubans, frises très fines, profils de sphinx, sur les rebords de la cheminée, les accoudoirs des fauteuils, les pieds de table et les fils de la harpe, faisait comme un rideau de pluie miraculeuse au travers de laquelle la Reine, elle-même couverte de goutelettes d'or, m'apparut. Penchée sur un secrétaire, elle lisait des lettres ou des papiers. Elle tourna les yeux vers moi, mais n'eut pas l'air de me voir. Elle ne ressemblait plus du tout à la très jeune fille, presque une enfant, que j'avais quittée la veille, ni à la statuette d'ivoire entr'aperçue au balcon. Madame Campan fai sait l'importante. Gonflée, exagérant ses mines de discrétion, elle me poussait. Je progressais de biais, cassée en révérences. Et elle, avec sa lourde corpulence de grosse poule, s'interposait entre la Reine et moi. La Campan me refoula dans la Chambre des Bains et, de là, dans la Pièce des Bains. Que ne songe-t-elle à m'enfermer dans le Cabinet de la Chaise ? me disais-je. Madame Campan me tendit plusieurs feuilles de papier, me montra une table couverte de flacons de parfums. J'eus un geste pour les effleurer.

— Vous n'allez pas, au moins, toucher aux parfums

de Sa Majesté, siffla-t-elle avec colère. Et elle ajouta :
Sa Majesté est occupée à lire et trier des documents
personnels. Elle n'a nul besoin que *vous* lui fassiez la
lecture.

Je n'eus pas le temps de me récrier, elle précisa :

– Il s'agit seulement que vous écriviez sur une feuille
quelques titres, une dizaine, qui vous paraissent indispensables en cas de déplacement à la campagne. Monsieur Campan (c'était son beau-père, dont elle avait
sans cesse le nom à la bouche) se serait volontiers
chargé de cette tâche, mais il a été requis à un office
plus indispensable.

J'ai aussitôt pensé au transfert de l'Assemblée nationale à Soissons ou Noyon et à un départ pour Compiègne. Cela me plaisait. La demande cependant m'a
paru incongrue : dans tous les châteaux où séjournait la
Reine il y avait plusieurs bibliothèques. Pourtant je ne
discutai pas sur ce point, je ne fis des réserves que sur
le lieu où je devais m'exécuter : j'aurais préféré travailler dans la Bibliothèque.

– La Bibliothèque, ainsi que le Supplément à la Bibliothèque et le Cabinet de la Méridienne seront bientôt
encombrés de bagages. Avec la meilleure volonté, vous
nous gêneriez, madame Laborde, répondit la Première
Femme de Chambre de la Reine ; et c'était comme si
elle me donnait un coup de coude dans l'estomac.

Je me mis donc à l'ouvrage dans la Pièce des Bains.
Je me concentrais aussi fort que me le permettaient
les chuchotements, dans la pièce à côté, laissée entr'ouverte, de madame Campan et de sa comparse, madame
de Rochereuil, Porte-Chaise d'Affaires de la Reine.
Elles triaient du linge. Ce qui n'était pas sélectionné
était confisqué par madame de Rochereuil, laquelle,
c'était notoire, le revendrait à bon prix. Elle avait des
doigts comme des serres, des doigts longs et pointus

97

qui accaparaient tout ce qu'ils touchaient, des doigts dont les ongles, terribles, perçaient les extrémités de ses gants. Au nom de Rochereuil, je ne pouvais m'empêcher de frémir. Je pensais : Un jour, elle crèvera les yeux de la Reine.

Pour l'heure, ne l'osant pas, elle complotait. Elle s'efforçait de faire passer madame Campan à l'ennemi. Celle-ci résistait, mais madame de Rochereuil ne manquait pas d'arguments :

– Il ne faut pas supporter davantage d'être méprisées, diminuées. Nous sommes des êtres humains, tout comme elle. Nous avons notre dignité. Pourquoi a-t-elle exigé une chaise de garde-robe en laque et bronze doré ? Même là, même dans cette posture, il faut qu'elle se sente supérieure au reste de l'univers. Cela vous semble-t-il juste, Henriette ?

Henriette était malade de confusion. Elle faisait signe à la Rochereuil de se taire. Elle mourait de peur que la Reine n'entendît. Mais l'autre, perverse, s'amusait du caractère craintif de son amie :

– Croyez-moi, je suis bien placée pour savoir qui elle est. C'est lorsque les rois se rapprochent le plus de la nature que l'on constate le mieux l'imposture qui voudrait qu'on les distingue du reste de l'humanité. Ils ne sont pas nés pour nous commander. Personne n'est né pour nous commander. Nous n'avons d'autres maîtres que ceux pour lesquels nous optons. Nous-mêmes. Librement. En toute connaissance de cause.

– Taisez-vous, taisez-vous. Nous reparlerons de tout cela plus tard, à tête reposée.

– Allons, vous êtes déjà convaincue, seulement vous ne voulez pas le reconnaître, de vieux préjugés vous retiennent. Écoutez votre frère, monsieur Genet…

– Ah ! ne me parlez pas de ce garçon, il a bon cœur, mais il est… comment dire…

– Il est républicain. Il voit les choses comme elles sont et il a choisi le bon parti. Écoutez-le, il vous montre la voie.

– Lui, ce chenapan ?

– Lui-même. Vous devriez être fière de lui. C'est un jeune homme intelligent et honnête. Il va partout en déclarant : « La vue d'un Roi me fait horreur. » Voilà la jeunesse qu'il nous faut.

Madame Campan voulait échapper aux mauvais conseils de la Porte-Chaise d'Affaires. Je la suspectais d'être moins intègre, lorsqu'elle était sans témoin et moins proche de la Reine. Elle vint me voir. Je lui donnai des titres. « Je ferai prendre les livres », a-t-elle dit. Peu après – et c'est une scène étrange dans ma mémoire, parce que absolument sans rapport avec toutes les autres séances de lecture – nous avons été appelées, madame Campan et moi. La Reine avait besoin de nous dans le Grand Cabinet doré.

Pour moi, j'appris que je devais compulser rapidement plusieurs livres sur l'est de la France, des livres ou des cartes s'il en existait (« des cartes *détaillées* », insista la Reine), afin d'établir le meilleur trajet possible entre Versailles et Metz.

Ainsi la Reine partait à la campagne, à Metz ! C'était nouveau. Il n'y avait plus de papiers sur sa table. Une odeur de brûlé indiquait qu'elle ne s'était pas contentée de lire ou relire. Ses gestes étaient fébriles. L'expression de son visage était tendue, au-delà de la fatigue. Elle avait le teint brouillé, la peau piquetée de points rouges. Et cette moue célèbre, sur ses lèvres, qui lui donnait souvent l'air odieusement méprisant, alors que peut-être elle n'éprouvait aucun sentiment précis, était très marquée. Mais il y avait dans ses yeux, agrandis par le cerne plombé qui gagnait les joues, une dureté nouvelle. Abattue, elle ne l'était pas complètement. Ou bien, elle l'avait été, mais ne l'était plus. Au contraire, il émanait d'elle un pouvoir de décision, un élan.

J'aimais la regarder. J'avais acquis un sixième sens qui me permettait de sentir lorsqu'elle n'y prenait pas garde, lorsque, elle-même étant accaparée par une occupation ou une rêverie, elle laissait, pour ainsi dire, une effigie d'elle à ma disposition. Il était rare que je la regarde directement – comme j'en avais eu la chance, la veille dans la chambre du Petit Trianon. Le plus souvent, c'était son image réfléchie qu'elle m'abandonnait. Dans le Grand Cabinet doré, de l'angle où j'étais, tous les miroirs servaient mon attente.

Ce visage défait, prématurément vieilli, et qui ne gardait plus rien de la grâce oublieuse de l'adolescente, demeurait attirant. Il l'était même davantage, à sa manière. Entre-temps, la Reine avait été atteinte, vaincue. Malgré mes efforts de diversion, je ne pouvais effacer de mon esprit les paroles de l'Historiographe : « Nous sommes perdus. » Mais l'ardeur de son regard, cet éclat dur et froid de ses yeux, interdisait de croire qu'elle se résignât à l'échec.

La Reine s'était fait apporter ce qu'elle appelait sa « table de voyage ». C'était une table en marqueterie, très délicate, et dont le dessus, mobile, s'ouvrait à deux battants. Elle était creusée d'un tiroir profond qui contenait sa cassette à bijoux. Pas tous ses bijoux, mais ceux qu'elle portait régulièrement. Assise devant cette table, elle essayait de faire le tri entre ceux qu'elle voulait emporter et les autres. Ce lui fut un choix impossible.

– Je les prendrai tous… Et je vous charge, madame Campan, d'enlever les montures. Vous réunirez les pierres dans un coffre à voyage que je garderai avec moi dans le carrosse. Le comte Esterházy nous attend en chemin avec son régiment. À Metz, nous lèverons des troupes et nous reviendrons en force à Paris. Il est criminel que cette ville prétende dicter sa volonté au Roi. Et à la France. Paris n'est pas la France. Les Parisiens finiront par le comprendre… Levez-vous, madame Campan… Quant au trajet jusqu'à Metz, si vous n'arrivez pas à le dessiner (elle venait de jeter un coup d'œil sur la ligne fantaisiste que j'avais tracée), je demanderai à mon coiffeur, Léonard, de le faire, il est un homme de ressource, aux talents divers. Vous aussi, Madame (elle avait dû se rendre compte de mon air malheureux), vous avez des talents, mais la géographie n'entre pas dans vos compétences. Le Roi, Dieu merci, est féru de géographie, et c'est peut-être ma chance pour cette décision de partir et reconquérir le pays. Qu'en pensez-vous, madame Campan ? Levez-vous, s'il vous plaît, vous n'allez pas ramper jusqu'à la fin des temps sous cette commode. Vous retrouverez cette perle plus tard, à notre retour !

Juste à cet instant la Campan eut un petit cri de joie, elle avait aperçu l'objet. Elle se glissa plus avant et réapparut, un peu rouge, ébouriffée, mais bien contente. Je l'exécrais.

Je m'étais montrée incapable de tracer un plan de route (je suspectais madame Campan d'avoir exprès suggéré à la Reine que j'en avais la capacité afin de bien jouir de mon humiliation). D'autre part, il n'était, semblait-il, nullement besoin des effets particuliers de ma voix, je m'attendais donc, le cœur tremblant, à être renvoyée parmi les ombres qui erraient dans la nuit. Si je ne le fus pas, c'est sans doute que la Reine, dans sa hâte, préféra m'associer à l'ouvrage de défaire les bijoux de leurs montures. Et, à partir de là, dans la confusion de ces heures, la Reine me traita assez indifféremment en lectrice ou en femme de chambre.

Je m'installai donc à côté de madame Campan. Elle avait terminé avec la « table de voyage », elle sortait maintenant d'autres bijoux d'un haut meuble sculpté. Il y en avait tant. C'était fantastique : des bagues, bracelets, colliers, pendants d'oreilles, épingles, broches, médaillons, diadèmes… J'isolais une bague, écartais les pinces qui enserraient la pierre, l'extrayais et la posais soigneusement dans le coffre. « La Reine, à la campagne, à Metz, portera-t-elle ses pierres en vrac ? » Heureusement je ne posai pas la question. Ma stupidité, mon obstination à ne pas comprendre auraient provoqué les sarcasmes de madame Campan. Nous allions très vite, le plus vite possible. Nos doigts jouaient avec les émeraudes, les topazes, les rubis, les cornalines… avec les parures de saphirs et de diamants et, en deux trois gestes exacts, les libéraient.

– Je veux partir, a répété la Reine. C'est pour la royauté, pour nous, une question de vie ou de mort. Le Roi ne doit pas demeurer un jour de plus dans un pays dont il a perdu le contrôle.

Mais alors, curieusement, au lieu de nous encourager à faire vite, elle s'est levée, comme happée par l'éclat de ses bijoux, et est venue les contempler. Enfin, n'y tenant plus, elle a commencé à enfiler une bague, puis deux, à se mettre autour du cou, les uns sur les autres, plusieurs colliers, à se couvrir les avant-bras d'épais bracelets. Hypnotisée, elle fixait dans le miroir de sa coiffeuse cette vision d'elle étincelante. Nous n'osions bouger, madame Campan et moi, c'est elle enfin (toujours sûre d'avoir raison, mais à cette heure c'était vrai) qui a rompu le charme. Elle a rappelé, avec infiniment de respect et de douceur, la nécessité de se dépêcher, si Sa Majesté souhaitait partir en voyage le lendemain. La Reine s'est arrachée à son rêve :

– Souhaiter est une faible expression pour traduire

mon sentiment. Nous *devons* quitter Versailles. Ne pas le faire équivaut à signer notre défaite – qui est déjà effective –, notre défaite et peut-être pire... Je veux m'en aller. Je veux quitter ce château. J'ai tout essayé pour le faire mien. Je n'y ai pas réussi. Je ne sens que son froid, son humidité, tous ses espaces inhabitables... Son délabrement. Penser que le Roi, dans son lit, a failli périr écrasé par un pan de plafond... J'ai vraiment tout essayé. Je l'ai divisé en pièces de plus en plus petites. J'ai fait ajouter des tentures, des miroirs, des tapisseries. J'ai multiplié les escaliers, afin que l'on puisse facilement se rendre chez ses amis, y puiser du réconfort. Dès le début Versailles m'a refusée. Versailles était déjà occupé, par le Grand Roi, qui ne l'a jamais quitté. Dans chaque salle où j'entrais, il était là, en jeune homme, en vieillard, en danseur, en amant, en guerrier, toujours en gloire. Le château est sous sa surveillance. Ce ne sera jamais chez moi. Ce n'est pas non plus le château du Roi. Ce n'était pas davantage celui de Louis XV.

Une femme est venue lui enlever cet amoncellement de bijoux, qui la transformait en déesse barbare. Désemparée, la Reine est restée debout face à son miroir. Elle interrogea :

– Où sont nos habits de voyage ? Sont-ils prêts ? Et le petit costume de marin pour mon fils, le chapeau de paille pour ma fille ? Et des théières, des cafetières, des chocolatières ? Des bouillottes, des réchauds, des instruments à dessiner, mes boîtes à peintures, mes pinceaux, mes aiguilles à tricoter, un rouet ? Que sais-je, moi, des soirées à Metz ?

Alors elle a eu un mouvement étrange. Elle a levé le bras en geste de protection et elle a vacillé, comme aveuglée par son propre visage. Puis elle a dit, lentement, en cherchant ses mots :

– Louis XIV nous tolère, le Roi et moi, parce que nous sommes chargés de l'entretien de son Mausolée, mais il est mécontent de nos services. Je me réfugie au Petit Trianon et dans les cabanes de mon Hameau. Le Roi, lui aussi, a ses lieux de refuge. Il s'enferme dans sa salle à manger et s'assoit devant son portrait en chasseur peint par Oudry. Plutôt devant le portrait de Louis XV en chasseur et qu'il a fait modifier à sa ressemblance. Mais dans une salle à manger, des importuns peuvent toujours survenir. Alors le Roi va se cacher dans son Très Arrière-Cabinet. Les tableaux n'y sont plus d'un roi chasseur, mais de nymphes. Peu importe, le Roi, tapi dans son Très Arrière-Cabinet, n'a pas de regard pour les nymphes : il compte. Et il note dans son journal tout ce qu'il a compté, le nombre des révérences pour les visites de condoléances à la mort de l'Impératrice ma mère, le nombre de bains qu'il a pris dans le mois, le nombre de chevaux qu'il a montés depuis l'âge de huit ans, le nombre d'animaux tués à la chasse, le nombre de tués par jour, par mois, la récapitulation des six premiers mois, la récapitulation par année, chasses du cerf, chasses du sanglier, des centaines, des milliers de tués… Et cette tache d'encre, le jour de notre mariage, l'a-t-il comptée ? Je n'ai fait qu'une tache, mais ineffaçable. Cette tache d'encre, c'était plus ignominieux que de me prendre les pieds dans un tapis… Je revois sans cesse la scène : je me penche pour signer de ce prénom qui m'est encore étranger. Parce que je vois mal, je dois presque me coller le visage sur le papier. Ma-rie-An……toi… J'appuie fort, trop fort. La plume crisse. L'encre jaillit, j'en ai jusque sur la joue.

Juste avant, la Reine avait l'éclat d'une idole. Elle était maintenant dans le seul vêtement d'une robe grise, tout unie. Elle se frottait la joue pour tenter d'effacer la tache d'encre. Une grande mèche lui était tombée sur le front. Qu'elle était belle ainsi divagante !

Madame Campan s'énervait sur une parure qui lui résistait. Je regardais sa lourde poitrine oppressée. J'entendais sa respiration précipitée. Cette pièce était minuscule. J'avais trop chaud. Et sa robe écrasée contre la mienne me fit penser à une fleur fanée qui en se mourant était venue se coller et se mêler à sa voisine.

« Et moi, partirai-je avec vous ? » manifestait le trouble qui transpirait de tout son être. « Et moi, allez-vous m'oublier ? » grelottait la peine, indicible, qui me terrassait.

Épuisement, aube sinistre (de deux heures à quatre heures du matin).

Comment passa le temps ensuite ? je ne sais plus bien… Je replongeai parmi les errants. La ronde de nuit se poursuivait. Plus incertaine, clairsemée, de plus en plus minée par la conviction de son inutilité. Pour moi, dépositaire du secret du départ de la famille royale et qui me croyais quasi seule à le posséder, l'inutilité de cette nuit de veille me frappait encore plus cruellement. Et l'isolement aussi, dont chacun était prisonnier, sa profonde incertitude, ce mélange d'envie et d'appréhension d'en savoir davantage sur les décisions du Roi. Dans la Salle de Jeu de la Reine, des femmes s'étaient allongées sur les tables. D'autres, calfeutrées dans les embrasures des fenêtres, se chuchotaient les dernières nouvelles : « Ils enlèvent nos enfants, et exigent en échange des rançons exorbitantes. » Je retrouvais des visages détruits, des êtres qui oscillaient entre un désespoir atone et une excitation morbide, irraisonnée. Des corps endormis çà et là. Dans la pièce où étaient rangées les chaises à porteurs, des gens avaient défait leur empilement et s'étaient installés à l'intérieur. Certains avaient tiré les rideaux.

Je quittai le Salon de Jeu, et la Grande Galerie, pour rejoindre la Galerie Basse. Les portes étaient fermées sur les appartements qui, tout au long, la bordent. Aucun bruit n'en venait. Puis je remontai comme pour aller à l'Opéra, me glissai par un couloir au niveau des loges, j'aperçus la surface inquiétante des Réservoirs au-dessus de l'extrémité de l'aile du Nord, le miroir d'encre de leur étendue. Je m'y attardai un moment. La désolation de ce sombre étang étrangement suspendu contre le ciel me transperça. Est-ce pour en fuir l'image et les tristes pressentiments dont elle m'emplissait que je marchai au hasard, prenant n'importe quel escalier, fétide, humide, resserré, conduisant à d'autres détours encore plus obscurs ? Pendant un temps, je ne rencontrai personne. Puis commença de surgir une population inquiétante. Des êtres que je n'avais encore jamais vus au château. Remontaient-ils des cales, poussés par l'instinct que se jouait, dans ces heures, le destin du navire ? Je ne m'étais jamais risquée dans ces parages. Je voyais apparaître des êtres invraisemblables. Tout usés, et comme élimés, avec des visages étriqués et jaunâtres. Émergeaient aussi des individus difformes, bossus, borgnes, boiteux, goitreux, des trop gras ou des squelettiques. Leurs yeux morts, leurs chairs maladives, leurs dents noires me répugnaient. Chez d'autres, je sentais des moiteurs de rance. Ils étaient enveloppés comme des momies dans leurs vieilles dentelles, et ne parvenaient qu'avec une extrême lenteur à mettre un pied devant l'autre. Il y avait aussi des femmes effrayantes, des sortes de paysannes aux allures d'oiseaux. Je m'écartais en hâte, car je me rappelais, en les voyant se glisser ceintes d'odeurs féroces, leur cou son-

nant d'amulettes, leurs longs tabliers aux poches bour-
souflées – je me rappelais, dis-je, les morts suspectes,
les rumeurs d'empoisonnement auxquelles je m'étais,
sur le moment, refusée à croire. J'avais peur que, sans
avoir à faire un geste, elles ne me plaquent le froid
gluant d'un crapaud au creux du dos. J'étais allée trop
loin. Je réunis assez de force pour courir. Je leur échap-
pai, au moins provisoirement, car si elles décidaient
soudain de tenir leur sabbat sous les lustres de la Grande
Galerie, ce serait à nous de leur laisser la place...

À bout de souffle, en sueur, j'ai rejoint les Grands
Appartements. Il ne fallait pas, en une nuit pareille,
s'éloigner de leur pourtour. Il fallait rester autant que
possible, et à supposer que ces mots veuillent encore
signifier quelque chose, en terrain de connaissance. Et
je fus rassurée d'entendre à nouveau ce bruissement de
conversations qui m'était familier. Et, pour mieux me
conforter, je reconnus une personne qui m'était chère et
qui parlait à pleine voix, insensible aux intimations à la
prudence. Je vis un homme de grande taille en train
d'essayer d'en convaincre un autre beaucoup plus petit.
De le convaincre ou de l'étouffer : le petit homme se
débattait tout contre le géant qui, par la taille, le dominait presque de moitié.
 – L'alliance que nous avons eue, il y a quatre cents
ans, avec la maison royale ne fait tort ni à eux, ni à
nous... On a été d'une injustice parfaite avec monsieur
de Noailles ; la rapidité de leur faveur moderne a excité
le déchaînement de l'envie ; on vous en fait des gens
d'hier, pendant qu'ils sont d'autant mieux gens de qualité qu'ils nous appartiennent.
 Je n'avais pas eu besoin de voir son visage – remarquable par ce signe distinctif d'une sorte de gros bou-
ton ou d'excroissance de chair qui lui poussait sur le

nez – pour reconnaître le marquis de La Chesnaye, qui occupait à la Cour les fonctions de Premier Tranchant. Il avait deux thèmes de prédilection : l'ancienneté de sa famille et des plans d'amélioration du château. Et comme – tant était grande l'emprise du passé sur lui – il confondait les nominations successives que toutes les salles avaient eues au cours des différents règnes, et même à l'intérieur d'un même règne, il était souvent difficile de le suivre. C'étaient son père, son grand-père ou son arrière-grand-père qui parlaient en lui et lui faisaient dire tour à tour et indifféremment la Cour des Bains pour la Cour des Cerfs, l'Oratoire pour le Cabinet de la Méridienne, le Cabinet des Perruques pour le Cabinet des Thermes ou des Glaces... Pour lui, à l'emplacement de l'actuelle Cour de la Cave du Roi se dressait l'Escalier des Ambassadeurs et, à travers le marbre blanc de la Chapelle, continuaient de trembler les reflets bleutés de la Grotte de Thétis... Mais, à cette heure-là, seule l'ancienneté de sa famille l'occupait. Ce qu'il déplorait le plus à Versailles, le grand reproche qui l'obsédait, à savoir que *Versailles n'avait point une entrée digne du monument* passait en second. Monsieur de La Chesnaye pressait de plus en plus fort sa victime. Les breloques et les médailles dont il était couvert tintaient. Elles accompagnaient d'une musique grêle la litanie de ses ancêtres et de leurs vertus. Le marquis de La Chesnaye fit une pause. Il m'aperçut :

– Ah ! Madame Laborde, nous parlions des Noailles, il me semblait justifiable de louer leurs bons procédés. La duchesse de Noailles, en tant qu'intime de madame de Neuilly, Première Lectrice de la Reine, est sans doute de vos connaissances. Comment l'appréciez-vous ?

Je balbutiai, gênée d'avouer que je ne la connaissais pas. Je ne l'avais même jamais vue, sinon à distance. Et, ce qui m'importait davantage, il en était de même pour madame de Neuilly. La question de monsieur de La Chesnaye me produisit un pincement au cœur. Je m'éloignai.

Je croisai à nouveau monsieur de Feutry. Il était accompagné de Jacob-Nicolas Moreau. Celui-ci, à force de ne jamais se séparer de son lourd cartable, penchait d'un côté. C'était justement celui où se trouvait monsieur de Feutry. Ce qui, de l'extérieur, donnait aux propos de mon ami des airs de confidence, dont ils étaient en réalité dépourvus.

— Madame m'a confié son opinion. Vous savez comme la comtesse de Provence est judicieuse et en quelle estime je tiens ses jugements. Eh bien, elle m'a dit, je vous cite la phrase littéralement : « La situation me paraît de mauvais augure. »

— Diantre ! Est-ce aussi votre avis ?

— Je l'ai dit hier soir à madame Laborde (il venait de m'apercevoir). Je pense purement et simplement que nous sommes perdus.

— Ce n'est pas la première fois que je vous l'entends dire.

— Il est vrai. L'humanité a trop défié le Ciel, et Celui-ci, malgré toute sa mansuétude, a fini par se venger. Les conditions étaient prêtes pour le châtiment, mais j'ignorais la forme qu'il prendrait et qu'il fût si proche. À propos de châtiment imminent, j'ai appris, Monsieur, que vous déteniez un… document intéressant. Comment dirai-je ?… Un opuscule ? Un pamphlet ? Oui. Un pamphlet. *La Liste des têtes à couper*… ou une abomination de ce genre… Pourriez-vous me le prêter, afin que je le recopie et le classe dans mes archives ?

Il s'inclina devant monsieur de Feutry, me fit de la main un signe d'au revoir et retourna à son troisième étage.

« Châtiment », il avait articulé le mot nettement, en haussant légèrement la voix. Cela parut trop bruyant à un certain monsieur Lemaire, chauffe-cire, homme excessivement timide, même en temps normal. Il voulait que l'on parlât plus bas. Nous avons donc chuchoté les pauvres bouts de phrase que nous nous tendions les uns aux autres. Peu à peu nous avons été rejoints par une multitude d'abbés. Ils étaient frémissants, apeurés. Leurs lèvres ne cessaient de bouger, mues par un suave et infini débit de prières. Leur nombre, nettement dominant en certains salons, aurait pu faire prendre ceux-ci pour autant de chapelles. Je me mis à prier avec eux, et fus choquée d'entendre, venant d'une pièce à côté, une voix sonore.

Un homme parlait de chasse (« Chut ! Chut ! » supplia le chauffe-cire) :

– On se trompe sur les fauconniers flamands, ils sont excellents. J'étais récemment d'une chasse de la Fauconnerie royale. Les fauconniers, comme vous savez, y sont en majorité flamands ou hollandais. Ils ont fait montre d'une habileté exceptionnelle, que l'on chercherait en vain chez des fauconniers venus du Sud, pourtant très prisés. Le Roi prétend que les fauconniers venus du Nord sont meilleurs. Et il a raison. Croyez-moi, nous pouvons faire confiance au jugement de Sa Majesté. En fauconnerie, Louis XVI est incomparablement supérieur à ses prédécesseurs, même à Louis XIII.

– En fauconnerie certes, et pour toute chasse, Louis XVI est un grand roi.

Dans la pièce voisine l'excitation retomba. Le murmure des prières reprit le dessus. Il n'y avait plus rien pour distraire de cette chose impossible à nommer.

Fermer les grilles.

Pour accroître notre malaise, quelqu'un s'aperçut soudain que nous étions très peu nombreux. Et il y avait toujours la menace de cette troupe qui marchait sur nous. Comment nous défendre ? « Il faudrait au moins que, ce jour, les grilles restent fermées », proposa un monsieur qui dit se nommer Liard et être taupier (c'est dire à quel point plus aucun ordre, plus aucune hiérarchie n'étaient observés). « Absurde », fut le verdict immédiat.

– Absurde et inconsidéré. Ce serait donner à l'ennemi une preuve que nous avons peur.

– Nous avons peur. C'est pourquoi, je le répète, fermons les grilles.

(Le taupier n'en démordait pas.)

« Qu'est-ce que ça change ? Qu'est-ce que ça a d'absurde ? Il n'est pas absurde, quand on est attaqué, de se protéger. Il faut fermer ces grilles, celles donnant sur la Place d'Armes, celles de la Grille-Royale… Elles étaient fermées dans la nuit. Nous courrons davantage de risques demain, enfin aujourd'hui…

– Il se peut, au fond, que se soit une bonne idée. Fermer les grilles serait un geste élémentaire de protection. Pas même de protection, de dissuasion.

– Nous avons affaire à des gens qu'il ne nous appartient pas plus de persuader que de dissuader. On ne parle pas raison à des sauvages.

– Et si nous leur jetions des pièces ? Quelques louis pour les amuser. Ils se battraient entre eux et pendant ce temps nous aurions la paix. Le procédé a été maintes fois utilisé.

– Les amuser ? Il faut les bâtonner, les écraser, les

passer au pilon. Ah ! si j'en tenais un sous la main ! Coquins, crapules, racaille, valetaille, chiennaille !

Juste alors il y eut un bruit de chute, qui nous fit sursauter. Ce n'était qu'une statuette que quelqu'un avait fait tomber d'un coup de coude. Le maladroit regarda les dégâts sans étonnement, dit seulement : « Oh ! pardonnez-moi », et poussa de son épée les morceaux.

J'eus l'impression que, sous nos yeux et à une vitesse surnaturelle, le château se défaisait. Sur une console en bois doré qui abritait une Renommée, on avait apporté une grande vasque d'eau, quelques personnes s'étaient précipitées. Elles s'y plongeaient le visage, ou essayaient de boire à même le vase.

La proposition de fermer les grilles continuait de provoquer des discussions. Le taupier s'était fait un ami.

— Il a raison, cet homme, pourquoi ne pas donner l'ordre de tenir fermées les grilles du château ? Cela ne ferait pas une grande différence, mais quand même. Cela découragerait les moins déterminés. Ces saligauds vont nous égorger, sans rencontrer de résistance…

— Garder tout le jour les grilles fermées serait sans précédent.

— Vous vous trompez, messieurs, les grilles ont déjà été fermées une fois en plein jour, c'était pendant l'agonie de Louis XIV… Une agonie exemplaire. Tout ce que faisait Louis XIV était exemplaire, même sa mort. Louis XV s'est rattrapé de justesse. Mais chez Louis XIV il n'y eut pas la moindre faiblesse. Tout en lui était admirable et son agonie est un sommet… Enfin vaincu par la souffrance, et tous les détails de la cérémonie de ses funérailles minutieusement réglés, le Roi gisait. Il avait seulement supplié avant de tomber dans l'inconscience : « Oh ! Dieu aidez-moi à mourir. » Puis il a rouvert les yeux et prononcé nettement, en s'adressant non à son confesseur mais à madame de Maintenon : « Savez-vous, Madame, il n'est pas du tout malaisé de mourir… » Le Roi était entré en pourparlers avec l'Éternité. C'est pourquoi il avait fait fermer les grilles : Versailles n'appartenait plus au royaume des humains.

– Louis XIV est mort de la gangrène, Louis XV de la petite vérole… Quel prodige que nos deux derniers rois plutôt que proprement mourir aient pourri !

– C'est affaire de carcasse, marquis…

(Ces paroles, insolentes, mauvaises, me reviennent dans mes insomnies. Ce sont comme des irritations de ma mémoire.)

Fermer les grilles, d'accord, mais qui sortirait en donner l'ordre ? C'était au Roi de le faire. Avant le jour. Mais comment le joindre ? Il valait mieux que l'un d'entre nous y aille. Le taupier se proposa. Chacun trouva qu'un taupier ne pouvait, quel que soit le chaos dans lequel nous nous débattions, être l'émissaire d'un ordre. L'embarras était complet, lorsque intervint Jean-François Heurtier, Architecte et Contrôleur du château. Il venait de se mêler au groupe et eut vite fait de clore le débat :

– J'avais pensé, dès le 10 juillet, à prendre cette précaution, à me préoccuper de la fermeture des grilles. Je suis allé voir. Il n'y a ni clefs, ni serrures. J'en ai fait fabriquer, mais il me faudra plusieurs semaines avant de les obtenir. Ainsi, de nuit comme de jour, le château est ouvert.

L'heure était au plus noir fatalisme. Des hommes vérifièrent leurs pistolets. Davantage par principe que par une volonté déterminée de combattre. Se colleter avec la valetaille, quel abaissement ! Par contre, j'entendis les derniers mots d'une provocation en duel. Je n'avais pas à entendre les mots, je devinais, à la cam-

113

brure, au regard, aux mains qui serraient le pommeau, à une sorte de courant électrique contraire, à la fois fraternel et mortel, qui passait entre les deux jeunes gens.

Personne ne savait ce que le maréchal de Broglie était en train d'annoncer aux membres du Conseil de Guerre. Mais on savait qu'il ne s'était pas couché, qu'il avait passé la nuit en délibérations. Il n'y avait presque plus de conversations... Quelques silhouettes, prostrées, somnolaient sur des sièges dispersés. D'autres étaient dressées comme aux aguets, mais elles avaient la fragilité des apparitions. Il aurait suffi de les toucher ou de leur dire, très doucement, « bonjour » pour qu'elles s'évanouissent. Çà et là des chandeliers muraux avaient été allumés. Ils donnaient à cette aube une allure de fin de fête.

Dans les Grands Appartements, dans les antichambres, les petits salons, les cabinets, dans les espaces d'apparat comme dans les lieux les plus secrets, dans les escaliers, les couloirs, les passages, derrière les portes officielles comme derrière les entrées dissimulées, la peur était un élément compact. Une matière qui pendant la nuit avait durci et nous paralysait. J'eus envie de sortir, de m'échapper. Il me semblait que, si je ne le faisais pas maintenant, ce ne serait plus jamais possible. Je ne croyais plus à l'imminence d'une irruption ennemie ni à la réalité d'un encerclement. Ils se rapprochaient peut-être, mais ils étaient encore loin. Un jour nouveau se levait. Les perspectives demeuraient ouvertes. Je me frayai un chemin parmi les spectres, mes alliés. J'aperçus à nouveau monsieur de La Chesnaye. Il balançait l'ombre de son double nez sur une malheureuse prude, demoiselle Adèle-Élisabeth Bichebois, ouvrière en dentelles, égarée là, un panier au bras.

Je devais sortir, respirer.

16 juillet 1789

Journée

Dehors, sous les fenêtres de la Chambre de la
Reine (entre cinq heures et six heures du matin).

Je pris par l'aile des Princes. Je marchais comme si
j'avais su où j'allais, alors que je n'en avais pas la
moindre idée. Du côté de l'Orangerie j'aperçus une
fille à l'air grognon, les yeux battus. Elle sortait des
appartements de Monseigneur le comte d'Artois. Lui
seul peut-être, dans cette nuit, s'était accordé une pause
de plaisir, avant d'affronter à nouveau la tourmente.
C'était dans son tempérament, comme de prendre des
leçons de funambulisme au lieu de s'appliquer à des
études sérieuses. J'ai toujours été divisée à propos du
comte d'Artois : j'éprouvais, je continue d'éprouver, un
sentiment violent de réprobation morale, mais je ne
pouvais m'empêcher d'être séduite. Je me suis donc
détournée ostensiblement de cette créature, autant pour
lui manifester mon mépris que pour m'interdire d'accorder attention au libertinage du frère du Roi.

Je n'avais pas eu à choisir une direction. Mes pas
m'avaient conduite malgré moi : j'étais là sous les
fenêtres de la Chambre de la Reine. Depuis que je
l'avais quittée, j'avais été obsédée par cette seule pensée : elle faisait ses bagages, elle abandonnait Ver-

sailles. Metz n'était pas une villégiature comme une autre, c'était une position de repli, avant la bataille. Et comme, à ce moment-là, je n'imaginais pas une seconde que le Roi pût être d'un avis différent, le départ de la famille royale me paraissait imminent. De la famille royale accompagnée des Polignac, car il était certain, à mes yeux, que si la Reine exigeait la présence de Gabrielle, son « inséparable », elle prendrait avec elle, sous sa protection, tout le clan. Et je repensais avec amertume à la façon dont Diane de Polignac avait passé une partie de la nuit à aller d'un groupe à l'autre, à s'informer. Et à nous exhorter à n'avoir en tête que le bien du Roi et de la Reine. Il lui était facile de donner des leçons, alors que, quoi qu'il arrive, elle ne serait pas séparée de la Reine. Tandis que pour moi qui, sans doute, ne serais pas du « voyage » de Metz, vouloir son bien voulait dire quoi au juste ? L'attendre ? Chercher à la rejoindre par tous les moyens ? Je regardais autour de moi. Le ciel était blême. Les nuages, rapides, semblaient frôler la cime des arbres. Une pluie récente rendait encore plus fort le parfum des fleurs d'oranger et plus mat le blanc des statues. Je levais les yeux. Et si elle était déjà partie ?

Follement, puisque selon toute vraisemblance elle n'avait pas encore quitté le château, mais continuait de préparer le départ, enfermée dans ses Petits Appartements, je me reculai un peu dans l'espoir de l'apercevoir. Personne, bien sûr. Aucun mouvement de l'autre côté, aucune silhouette. Je m'éloignai, terriblement désemparée. La sensation de solitude qui m'avait traversée ces jours derniers prit une intensité singulière. Et toute cette beauté, spectaculaire, du parc se retourna contre moi. La perspective de vivre ici sans elle me fit une peine affreuse, insupportable. Je m'assis sur le haut des marches, au-dessus de la Fontaine de Latone. Et soudain, je ne résistai plus, je m'allongeai de tout mon long à même le sol et me laissai dévaster par les pleurs. Je m'entendais crier et, loin d'essayer de me modérer, j'avais envie que ce soit encore plus fort, que mes larmes coulent encore plus abondantes, en torrent. J'étais dépossédée. Un séisme s'était abattu sur moi. Il allait m'anéantir. Je ne luttais pas. Au contraire, je tombais... et me retrouvais couchée au travers de l'escalier, haletante. Alors, comme après un séisme, un calme inconnu m'a envahie, je me suis un peu remise, j'ai cherché de l'eau à me passer sur le visage, mais Latone était sans eau. Je suis allée m'asseoir sur un banc de pierre, devant la façade, et avec un curieux détachement, de promeneuse, j'ai observé le château du dehors.

Un silence inquiétant.

Les rideaux étaient toujours tirés (seuls ceux de la Chambre de la Reine était restés ouverts). J'aurais pu croire le château entier plongé dans le sommeil. Rien ne troublait le silence qui l'entourait. Cela me surprit. Aucun bruit. Les minuscules échoppes qui poussaient à l'extérieur, contre les grilles, et à l'intérieur, le long de la Galerie Basse et dans plusieurs escaliers, devaient être closes. Je ne percevais aucune trace de la foule des trafiquants, colporteurs, quémandeurs, visiteurs, badauds, qui, dès le lever du soleil, nerveux, excités, commençaient de passer les grilles du château. Ils bousculaient la troupe des balayeurs, lesquels sans se presser, conscients d'occuper de bon droit les cours, faisaient tranquillement leur travail. Mais des balayeurs, ce matin, il n'y en avait plus.

Assise sur mon banc de pierre, je remettais tant bien que mal de l'ordre dans mes vêtements ; je lissais ma coiffure (je portais alors un chignon assez bas d'où s'échappait une mèche qui tombait sur le côté), j'ouvris mon livre de prières. Mais la nouveauté du silence répandu sur Versailles était trop pressante. C'était un silence qui m'intriguait. Il avait la force d'une énigme. Je dirai ici, car c'est sans doute quelque chose qu'il est difficile aujourd'hui de se représenter, que le bruit était inséparable de Versailles. Ce bruit est quelque chose que je porte encore dans la tête. C'est un bloc fait d'une accumulation de sons rituels, militaires, religieux, de la relève de la garde et de la sonnerie des cloches, d'un fond continu d'aboiements, de hennissements, de roulements de voitures, d'ordres criés, d'éclats de voix en fin de journée, dans la nuit, de musique un peu partout jouée, et du va-et-vient infini des pas des serviteurs sur le parquet ; cela dans le tintamarre, la pagaille, la poussière des chantiers partout recommencés, omniprésents, dans les travaux perpétuels, jour et nuit, de peinture, d'embellissement, de modification des appartements, de construction de balcons, de déplacement d'escaliers, de pavement, de pose de volets, de réparation de cheminées : on admirait un tableau de Watteau ou d'Hubert Robert et, quelques pas plus loin, on trébuchait sur un échafaudage, des giclées de plâtre volaient... Ce bruit me revient parfois, assourdissant peut-être pour l'étranger, mais profond, violent, mystérieusement nourricier, nécessaire, pour qui l'habitait. Ces retours des bruits de Versailles m'enchantent. Je les savoure, je les détaille, je me les rejoue en variant les rythmes et les interprétations...

Le silence était ce matin-là d'autant plus remarquable qu'à l'absence de visiteurs s'ajoutait le phénomène soudain manifeste de la désertion des Gardes Françaises. Ils avaient disparu comme un seul homme pendant la nuit. Ils avaient suivi l'exemple de Paris. Finis les bruits de bottes et les claquements de talons, les maniements d'armes, les commandements répétés aux relèves de la garde, les mots d'ordre et les chants qui avaient, tout aussi sûrement que les services divins, scandé ma vie. Qu'ait cessé l'incroyable affairement autour et dans le château, sa quotidienne métamorphose en caravansérail, me laissait stupéfaite. J'étais toujours « chez moi », mais j'éprouvais une sensation d'égarement, j'avais perdu le lien vivant entre un désordre extérieur et ma musique intérieure, ma tonalité d'âme. Je n'étais plus subjuguée, comme au milieu de la nuit, par la stupeur de la défaite et l'effroi d'être attaquée. J'étais affolée de me trouver dans un espace méconnaissable, vidé comme sous la menace d'un fléau – d'être transportée, du jour au lendemain, dans un lieu maudit. Je comprenais mieux, alors, le peu d'effet qu'avait produit la proposition de garder les grilles fermées : Versailles était ouvert. C'était le contraire d'une forteresse. Versailles laissait tout entrer. Les vendeurs qui, sous l'abri de leur cape, proposaient des gravures et des publications licencieuses, les chevaliers d'industrie qui, après avoir loué pour la journée un valet qu'ils déguisaient en ambassadeur, essayaient d'obtenir une audience auprès du Souverain, se faisant eux-mêmes passer pour les rois d'îles lointaines... Les intrigantes aussi, qui guettaient dans les antichambres, les allées, les buissons, prêtes à tout pour faire tomber un seigneur dans leurs rets... Autrefois, dans des règnes plus libertins, c'était d'abord le Roi que ces dames cherchaient à séduire. Sous Louis XVI, elles y avaient renoncé. Comme elles n'avaient aucune chance d'attirer son attention, elles avaient rabattu leurs prétentions. Le Roi était tellement chaste que, sur le trajet de ses appartements à la Chapelle, s'il lui arrivait d'adresser un mot à une femme (c'était rare : en général, il n'excédait pas, pour distinguer quelqu'un, un bref mouvement de tête), ce ne pouvait être qu'une femme âgée... Mais cette marée humaine de curieux, d'aventuriers, d'intrigants, ces vagues toujours renaissantes animées par le désir ou le besoin, étaient la partie la plus visible d'un autre mouvement, plus obscur et profond, un mouvement porté par une puissance sans nom, par l'empire même du dénuement : celui des mendiants. Ils étaient innombrables, indistincts, irréductibles. Ils cernaient de partout le château. On les chassait, ils revenaient toujours plus sales, malades, mutilés. Tantôt humbles, tantôt menaçants. Le château leur offrait mille cachettes pour s'embusquer. Officiellement Versailles leur était interdit, mais ils n'en avaient cure. Ils savaient qu'ils pouvaient toujours compter sur un instant d'inattention d'un garde, sur l'obscurité, un peu partout, dès que l'on n'était plus dans l'enceinte des Appartements royaux – cette obscurité profonde, invincible, et qui n'était réduite que momentanément par quelques bougies tôt fondues, lueurs dérisoires face à l'illimité des ténèbres (les « logeants » se ruinaient à lutter contre l'obscurité. Certains jours d'hiver, ils dépensaient en bougies ce que leur aurait coûté la saison entière passée dans leur château à la campagne, là où l'on acceptait le temps comme il venait et le soir quand il tombait). C'est pourquoi les mendiants se moquaient des règlements. Empêche t on la Nuit d'entrer ?

« Une fois, s'était plainte madame de Grasse qui, au sortir de ses appartements, avait été accueillie par plusieurs gueux que ses gens avaient roués de coups, l'un d'eux apportera la peste au château. » La peste, il m'arrivait, à moi, de la sentir proche, quand venait s'ajouter aux odeurs habituelles de Versailles (fortes sans doute, mais que j'avais fini par trouver bonnes) un relent fade et sucré de chair pourrie. Impossible à chasser, bien que sans origine déterminable, discontinue, cette puanteur surgissait et disparaissait. Je fermais les yeux, saisie de nausée. Je pensais : Un cadavre ? à Versailles ? C'était expressément défendu, il ne pouvait y avoir de cadavre au château sauf si le mort était un membre de la famille royale... Pourtant oui, il y avait un cadavre... Je n'étais pas la seule à m'en apercevoir, mais chacun se taisait... Et puis la puanteur se dissolvait. Elle ne sévissait pas plus de quelque temps... Maintenant, puisqu'il n'y avait personne pour les empêcher d'entrer, les mendiants allaient-ils se précipiter dans le château ? S'étaient-ils réunis au peuple qui marchait sur nous ? J'en doutais : les mendiants formaient un peuple à part entière.

La joie des vainqueurs (vers huit heures du matin).

Tout était silencieux et vide autour de moi, hostile, menaçant. J'allai me réfugier dans ma chambre. Lire un peu, si je n'arrivais pas à dormir, car au point d'anxiété que j'avais atteint, il était peu probable que je trouve le sommeil. C'est alors que je les ai vus : deux huissiers de la porte, dans un laisser-aller scandaleux. Ils avaient jeté à terre leur veste de drap bleu, et là, juste sous les fenêtres de la Chambre de la Reine, en bras de chemise, une bouteille de vin posée à leurs pieds, ils bavassaient. L'un était assis à califourchon sur une statue de pierre, l'autre, le dos contre le socle de cette statue, se rafisto-lait un bandage sur la main. Ensemble, ils ne parlaient pas, ils criaient. Je ne pouvais plus avancer. Ils me bar-raient le chemin de ma chambre. J'aurais dû faire demi-tour, prendre une autre entrée. J'aurais dû surtout les mettre en fuite, ne pas leur permettre de demeurer là sous les fenêtres de la Chambre de la Reine, au lieu de rester à les écouter. Il y a une horrible fascination pour la haine et la grossièreté, pour ce qui doit, un jour ou l'autre, vous engloutir.

— Tu sais ce que j'ai fait hier matin quand le duc de Richelieu est entré ?

— Non, quoi ?

— Rien.

— Tu veux dire que tu n'as pas frappé deux fois du pied en clamant : Son Excellence le duc de Richelieu ?

— Je n'ai pas moufté. Le duc s'est arrêté à l'entrée du salon, a attendu. M'a regardé. Rien. Rien, j'te dis (il hurlait, fou de son audace, et gigotait des jambes contre la statue). Tout duc et pair de France qu'il est, je n'ai rien fait. Pas un mouvement, pas un mot. Et pourquoi l'annoncer ? Il le sait comment il s'appelle. Il a beau être une ruine avant l'âge. Un dégénéré, un fruit pourri des débauches de son père, il sait quand même comment qu'il s'appelle. Son nom, c'est la dernière chose qu'on oublie. Pas vrai, Boineau ?

— Moinel, crétin. Je m'appelle Sylvain Moinel.

— Tu vois, même toi tu te souviens de ton nom.

— Rigole pas avec ça. Pourquoi est-ce qu'il faut que tu te moques de tout le monde ? Le duc de Richelieu, ça devrait te suffire. Je peux t'en fournir d'autres de son acabit. C'est pas ce qui manque.

— Merci, Boineau, je savais que t'étais des nôtres.

Bien qu'il eût une main blessée et enveloppée dans un pansement, l'autre a bondi et a donné un coup à son compère pour le faire tomber. Celui-ci a tenu bon, il allait frapper, mais n'osait pas. La main blessée de son copain le bloquait.

— D'accord, Moinel, c'était juste pour rire. Moi je

m'appelle Pignon. Chrétien Pignon. Y a pas de mauvaise intention. Si on rigole pas ces jours-ci, quand est-ce qu'on rigolera ? Tiens ! pour fêter la Bastille, les prisonniers libérés, les cortèges, et tout ça, avec ma femme, à la maison, on a tout cassé. On a tout ratiboisé. Le lit, la table, un pot de terre, les gobelets. À la fin, il restait juste un pot de fer, on a tapé dessus jusqu'à ce qu'il se ratatine. C'est ma femme qui l'a jeté contre la fenêtre, il a crevé le papier.

— T'as de la chance avec ta femme. Elle est plus luronne que la mienne. Suzette, elle va tout le temps à l'église. Elle prie. Elle dit que se républicaniser, ça va s'expier longtemps, très longtemps. Que les enfants de nos enfants continueront d'expier. Et si elle avait raison ? Ça fout les jetons quand même. Envoyer en enfer nos enfants et les enfants de nos enfants, tu es prêt à le faire, toi ?

— T'es pas plus rigolo que ta femme, ma parole. Ah là là !... Le jour où je salue pas un seigneur et pair de France. Le jour où le monde est cul par-dessus tête. Parce que c'est ça, une révolution. Tu prends un truc, n'importe quoi, et tu le mets cul par-dessus tête.

— N'importe quoi ! Dans ce cas, autant prendre une femme et une mignonne pour l'affaire dont tu parles. Oui, par ordre, commençons par révolter une garce ! Mais tu m'as pas dit comment il a réagi, l'*actuel* duc de Richelieu. Il faut préciser, parce que le vieux, l'Intendant des Menus Plaisirs, son père le maréchal, il était tellement célèbre, il a duré tellement longtemps que le fils, on n'y croit pas. Il y en a qui continuent de l'appeler duc de Fronsac.

— Il les corrige ?

— Tais-toi, il en peut plus de corriger !

Ils ont eu tous les deux un fou rire. Celui sur la statue s'est laissé glisser de son perchoir. L'autre se roulait de rire. Je les observais comme on observe des monstres. Quelles métamorphoses étaient en train de s'emparer de ce lieu et de ceux qu'il abritait ? Ces deux-là qui, auparavant, se tenaient muets et raides comme des piquets dans leurs habits de drap et n'étaient pas plus vivants que les portes qu'ils gardaient, les voilà qui jactaient de toute la force de leurs poumons, et gesticulaient sur le sol ; ils se pressaient les côtes, gémissaient que ça leur faisait mal de rire autant, mais un des deux répétait « il en peut plus de corriger » et leurs hennissements reprenaient…

Ils pleuraient, s'essuyaient les yeux avec leur chemise. Ils essayaient de se lever, s'écroulaient. Leur rire était une fine allusion au dernier duel du pauvre duc de Richelieu, encore duc de Fronsac, il y avait neuf ans. Le mariage de son père alors âgé de quatre-vingt-quatre ans avec une jeune veuve avait suscité les quolibets. Témoin d'un de ces propos, le duc de Fronsac avait provoqué en duel le moqueur. Il l'avait tué.

— Il faut avouer que le vieux était un chaud lapin. L'Intendant des Menus Plaisirs, tu parles, c'est des siens dont il s'occupait d'abord, et ils n'étaient pas spécialement « menus » ! Il avait marié une jeunesse et passait encore ses nuits à courir avec des comédiennes. Et sais-tu pourquoi le maréchal était chaud lapin ?

— T'arrêtes pas de me demander si je sais ou si je sais pas. Ça m'énerve. C'est comme si, à chaque seconde, tu me traitais d'andouille.

— Bon, tu sais pas. C'est pas grave, on apprend, on s'instruit. Eh bien, je vais te dire : le maréchal était chaud lapin à cause des bains de lait. Au réveil, tout en buvant sa première bouteille de vin de Champagne, il prenait un bain de lait.

— Et pas le contraire ?

— Quoi le contraire ?

— Il ne buvait pas un bol de lait, en prenant un bain de vin de Champagne…

— Non. T'es pas facile à instruire, toi. Mais, sérieusement, citoyen, c'est efficace les bains de lait contre les pannes.

— Les pannes, c'est pour les aristos. Chez nous, on connaît pas ça. La nature parle. Mais même à supposer, la fatigue… c'est impossible, mais quand même à supposer, je veux bien… Une fois que tu sais ça, t'es bien avancé. Ma femme, qu'est nourrice, allaite six bébés en ce moment. Même si j'en privais les marmots, ça ne me ferait jamais de quoi prendre un bain !

— Tu vois trop les difficultés !

— Et après, le lait du bain, qu'est-ce qu'il en faisait ?

— Lui, rien. Mais son valet de chambre le revendait et ça empoisonnait nos enfants. Les aristocrates prennent des bains de lait, et nos enfants meurent. C'est comme la farine ! La disette vient de ce qu'ils l'utilisent à faire de la bouillie pour leurs chats ! Ou comme les maisons ! On n'a pas où crécher. L'hiver les miséreux tombent par milliers. Dans les asiles, on les empile sur la paille. Dans les hôpitaux, on les couche à trois ou quatre dans un lit. Tu te réveilles au milieu de la nuit, t'as un macchabée allongé tout froid contre toi ! Je te jure !

— Je sais, je sais…

— Et eux, ils possèdent des châteaux en si grande quantité qu'il y en a où ils n'ont jamais mis les pieds, ils ne savent même pas où ils sont, dans quelle province de France… Ils les ont hérités… Ils n'en ont rien à branler… Tu imagines toutes ces chambres, les lits, les grandes cheminées, les…

— Comme ici.

— Et leurs chiens ! T'as vu comment ils sont logés ! dans des niches doublées de satin, piquées de clous en or. Des trésors de petites maisons. Tu regardes ces niches et t'as qu'une envie : faire le chien ; et attention, les bons morceaux, c'est pour leurs cabots ! Dilapideurs, profiteurs, sangsues !

— Hyènes, chancres, salauds ! Avec ça que les soldats des armées étrangères sont pas tous partis. On entend causer du patois allemand dans nos faubourgs. Il y a aussi des Espagnols. Ils sont mauvais ces gars-là. Si on leur dit de nous liquider, ils le feront.

— Ils ne vont pas se gêner ici, pour en donner l'ordre.

— Pas le Roi. Il nous aime bien. Il est bon. Mais elle, et comment ! Je veux ! Je l'entends déjà crier dans son sabir : « Qu'on les occisse, tous, jusqu'au dernier ! »

— Elle a tous les défauts, mais il faut reconnaître qu'elle parle français. Tu l'as entendue, comme moi.

— Oui, mais ça ne fait rien. J'ai lu dans les journaux la totalité du plan du parti de la Cour, c'est pire que ce que tu crois. Ils veulent affamer Paris et, pour accélérer sa destruction, braquer cent pièces de canon du haut de la butte Montmartre et autant – cent canons – du haut de Belleville. Ils vont tirer au canon, et en même temps, le fer et le feu à la main, tuer les habitants. Jusqu'à ce que Paris, ce qu'il en restera, se soumette et demande le renvoi de l'Assemblée nationale. Un plan diabolique. On la reconnaît bien, l'Antoinette...

Ils ont fait une pause pour boire à la bouteille, et pour mieux savourer ce qui allait venir.

— ... C'est fou ce qu'elle est autrichienne.

— Tout en elle. Ses cheveux orange, son nez coupant...

— Ses cheveux carotte, son nez de Polichinelle.

— Ses lèvres dégoûtées. Sa manière de tenir haut la tête, plus haut que tout le monde. Nous qui vivons à Versailles, qui la voyons tous les jours – et c'est pas drôle...

— C'*était* pas drôle. On va pas prendre racine. J'finis mon journal et j'm'en vais.

– ... nous qui l'avons vue tous les jours, on peut témoigner : elle n'est qu'autrichienne. Et de plus en plus.

– Elle a une bouche à tout recracher.

– Elle ne recrache rien, parce qu'elle n'avale rien. Elle ne mange pas. Elle fait semblant. Là aussi, elle trompe la Nation.

– Mais tu ne l'as jamais vue manger ou pas manger, tu es toujours de service le dimanche, à cette heure-là.

– Moi non, mais mon frère l'a vue pas manger. Il a voulu montrer le Roi à son aîné comme cadeau de première communion. C'est une tradition dans notre famille. Eh bien, je peux te l'affirmer : l'Autrichienne ne mange rien. Elle boit pendant tout le repas le même verre d'eau. Elle boit pas : elle se mouille les lèvres. Et au lieu de manger, elle bouge du bout de sa fourchette le même morceau de viande (parce que, même si elle ne mange pas, il lui faut une fourchette, un couteau, des cuillères, tout le tremblement, et en or). Elle le pousse un peu à droite, un peu à gauche, le ramène au milieu. Elle hésite sur son emplacement. C'est ça, pour elle, manger. D'ailleurs, à table, elle n'enlève pas ses gants... tu te rends compte. Elle garde ses gants *et* se sert d'une fourchette... Elle détruit tous les bons usages. Elle ne respecte rien de ce qui est français. Avant elle, le Roi et la Reine mangeaient en public deux fois par semaine. Avec elle, après elle, ce n'est plus qu'une fois par semaine, une toute petite fois. Tu traverses le pays à pied, pour cette seule chance par semaine, et elle ne te montre rien. Tu as fait tout ce chemin pour la regarder manger, et elle ne mange pas.

– C'est affreux, les Autrichiens. C'est le peuple le plus sale, le plus chipoteur, le plus menteur. Ils ont des mœurs abominables. En Autriche, quand tu épouses une fille, elle a déjà été déflorée par son frère. Tu passes après la famille. Ça a été comme ça pour Antoinette. Elle avait été dépucelée par son frère Joseph avant d'entrer dans le lit de Louis.

– Tu voudrais être roi, toi ?

– Dans ces conditions, non. Autrement, je ne dis pas.

– Tout est au roi, les belles provinces, les forêts, les mers, toi, moi, l'Orangerie, Les Grandes et les Petites Écuries, tout lui appartient. Ça doit quand même procurer des sensations.

– Mais comment il le sent que ça lui appartient ?

– Quand il se sert des choses, il prend sans demander la permission. À personne. Il obtient ce qu'il lui plaît. Il mange des petits pois le jour de Pâques, s'il en a l'envie. Et lui, il mange vraiment.

– Il a un faible pour les petits pois.

– Ou pour les députés !…

(Et ils étaient à nouveau tordus de rire sur le sol, à cause du fameux lapsus que le Roi avait fait dans les premiers jours de la réunion des États généraux. Il avait dit : « Je reprendrai bien de ces *députés* », pour « petits pois » !)

– Non… Le Roi n'est pas difficile. Il mange de tout

– … Il mange de tout. Tu connais un peu ses menus ? Des choses exquises et toujours en quantité prodigieuse. Rien que son ordinaire, imagine, quatre grosses pièces, vingt entrées, six rôtis, quinze entremets moyens, trente petits entremets, une dizaine de plats de pâtisserie.

– J'ai pas besoin d'imaginer, mon frère m'a raconté : les desserts… crème frite au coulis de framboise, tarte au chocolat, tourte frangipane, sorbets au melon, au citron, aux figues, à la mûre, à la grenade, il y avait aussi des Ali Baba… Des merveilles pareilles, qui ne les aimerait pas ! Rien que d'en parler, je salive. Je me demande comment les gentilshommes servants réussissent à se retenir…

– Ils ne se retiennent pas. Je suis sûr qu'on mange dans les plats du Roi avant qu'ils parviennent à destination. Pense, le trajet est long… la tentation forte…

– Résultat : le Roi mange des nourritures entamées.

– Et froides. Tu as cinq cents officiers à ton service et tu manges froid.

– Cinq cents officiers ! La Bouche du Roi est de bonne taille.

– La Bouche du Roi est énorme. Compte que la Maison-Bouche comprend le Gobelet, l'Échansonnerie, la Paneterie, et bien plus encore…

– Notre Roi est un ogre.

– Mais un ogre gentil. J'aime la motion de Bailly pour « voir sur les débris de la Bastille renversée élever un monument *à la gloire de Louis XVI, ami de son peuple et de la liberté* ».

– J'aime toutes les motions. Les motions patriotiques. C'est une grande invention : les motions !… Quand même, le Roi ne peut pas tout manger, ni se servir de tout. Il ne peut pas être à la fois à cheval et écouter un concert à Trianon.

– Oh ! la musique, il n'aime pas tellement. À part les concerts de la Saint-Hubert. C'est l'Étrangère qui oblige tout le monde à subir sa musique d'Autriche, son Glouck de malheur.

– Il ne peut pas monter à la fois ses trois mille chevaux.

– Il le peut, s'il le veut. Rien ne lui est impossible.

– Tu as raison. Normalement, il peut tout. Il guérit qui il touche, et sauve de la mort le condamné qu'il croise sur son chemin.

– Mais qui le touche, lui, quand il tombe malade ?

– Sa sorcière de femme. C'est pour ça qu'il fait attention à ne pas tomber malade.

– Il tombe malade, malgré tout. Elle le rend malade.

Elle l'empoisonne à petites doses. Elle a du poison caché dans ses bagues. Elle utilise aussi le verre pilé.

– Médicis !

– Comme le Roi est plus résistant que le Dauphin, il survit. L'enfant, lui, a vite dépéri. Mais il est mort en connaissant la coupable. Tu sais ses dernières paroles : « Que l'on s'écarte pour que j'aie le plaisir de voir ma mère pleurer… » La marâtre ne pleurait pas vraiment, bien sûr, elle faisait semblant. Est-ce qu'il y aura la guerre ?

– Sûr, s'il ne se débarrasse pas de l'Empoisonneuse.

– Mais qu'est-ce qu'il pourrait en faire ?

– On dit qu'elle sera exilée, enfermée dans la forteresse de Ham, renvoyée à Vienne, expédiée au bagne de Saint-Domingue, larguée à la Guyane, marquée au fer rouge comme la pauvre de La Mothe, cette sainte femme. L'Autrichienne sera enchaînée avec des charretées de salopes, ses consœurs, jetée sur un bateau et envoyée à l'île de Tahiti, chez les sauvages, elle y sera pêcheuse…

– … elle aimerait trop !

– On lui fera réparer les filets vingt-quatre heures sur vingt-quatre. Et on la fouettera dès qu'on la verra prête à s'endormir. Il faudra qu'elle continue tout le temps *tirer* son crochet. Elle aura les doigts pleins de plaies, et le sel, *en s*'y infiltrant, la fera crier. On peut aussi la garder à Paris et *lui faire* subir le supplice de la Vierge de Nuremberg.

– Vierge, elle !

– La putain de Nuremberg, tu veux dire !

– La garce !

– On peut aussi l'emprisonner à Bicêtre. Ou la faire travailler à la Salpêtrière, ou lui faire balayer les rues de Paris.

– Balayer les rues de Paris ! Eh ben ! !…Tu y vas

fort… Je voudrais voir. La reine en robe de bure, le crâne rasé, un balai à la main. Et les Parisiens aux fenêtres qui lui videraient leur merde sur la tête.

– En robe de bure ? Pourquoi pas à poil, pourquoi continuer de lui payer des vêtements ?… Il y a autre chose qu'on dit d'elle, mais ça, c'est pas une punition, c'est quelque chose qu'elle est et qui mérite une punition : on dit qu'elle est tribade. Tu as entendu ça aussi ? Tu vois ce que ça veut dire ?

– Ouiii… Tribade, lesbienne, c'est comme autrichienne. Pas de différence. Elle est autrichienne : elle est lesbienne. C'était pareil pour sa mère. Autrichienne, lesbienne, même chose.

Les deux hommes étaient restés perplexes. L'un a désigné les journaux sur le sol.

– Tu as lu ce qu'il y a dedans ?

– Un peu. Je ne lis pas assez vite maintenant. Ça allait quand il ne se passait rien.

– Essaie quand même, Moinel.

Il a ouvert un journal (« Qu'est ce que c'est imprimé petit ! ») et il a lu en détachant les syllabes avec difficulté :

« … Motion pour l'éloignement des troupes et pour l'établissement d'une Garde bourgeoise. Sire… une fois alarmés sur notre liberté, nous ne connaissons plus de frein qui puisse nous retenir… Sire, nous vous conjurons au nom de la patrie, au nom de votre bonheur et de votre gloire : renvoyez vos soldats aux postes d'où vos conseillers les ont tirés… Eh ! pourquoi un Roi adoré de vingt-cinq millions de Français ferait-il accourir à grands frais autour de son trône quelques milliers d'étrangers ? Sire, au milieu de vos enfants, soyez gardé par leur amour : les députés de la Nation sont appelés à consacrer avec vous les droits éminents de la royauté sur la base im-mu-abl-e de la liberté du peuple… »

Tous les deux étaient émus jusqu'aux larmes. Ils se sont mis debout et se sont étreints. Ils répétaient comme une formule magique : « sur la base im-mu-abl-e de la liberté du peuple ».

Et, tout à coup, l'un d'eux a réagi :

– Mais, Moinel, on a gagné ! Le journal est encore plus lent que toi. Elles sont éloignées, les troupes ; même s'il en traîne encore quelques-unes, on aura leur peau ! Comme à elle, la Messaline !

Et l'autre a brandi son poing blessé en direction des fenêtres de Marie-Antoinette.

J'étais anéantie. Comme si j'avais, avec eux, souillé le nom de la Reine.

Pour moi : détresse et confusion. La rencontre avec une femme de bon sens. La présence de « l'amoureux de la Reine ».

Je devais avoir l'air complètement égarée lorsque me croisa une femme au service du feu Dauphin. Elle transportait du château de Meudon une pleine carriole de jouets, qu'elle allait déposer, au rez-de-chaussée, dans l'armoire à jouets du nouveau Dauphin. J'étais exténuée. La fatigue, la honte, me donnaient envie de gémir. Je connaissais à peine cette femme, mais j'avais besoin de parler à quelqu'un. Je lui confiai toutes mes angoisses, dans le chaos et la contradiction. Je lui dis en même temps qu'il fallait sauver la Reine et qu'elle était partie, qu'il fallait la protéger et qu'elle s'était enfuie, que sa chambre, que ses appartements étaient vides. J'avais moi-même aidé à son départ, je savais de quoi je parlais…

– Vous lisez trop, Madame, a-t-elle plaisanté. Il est

plus sage de s'en tenir à ce que l'on voit. Les mots sont dangereux. Surtout les mots écrits. On m'a convaincue de ça quand j'étais toute petite. J'avais un oncle qui voulait m'apprendre à lire. Mon père s'y est opposé. Il a dit : « Je veux que cette enfant soit heureuse. » Le Roi et la Reine sont toujours au château. Croyez-moi. Ils sont chacun, bien tranquilles, dans leur chambre à coucher, ils dorment encore. Ils prennent des forces pour le jour qui se lève. Ils en auront besoin.

– Comment en êtes-vous si sûre ? Je suis restée un moment sous les fenêtres de la Chambre de la Reine. Je n'ai vu aucun signe de vie. Les rideaux étaient ouverts, comme d'habitude, mais dans la chambre rien ne bougeait.

– Et cet homme, le voyez-vous ? Sa présence ne signifie rien pour vous ?

J'aperçus, à quelques mètres, à peine dissimulé derrière un buisson, un homme à l'allure d'épouvantail, et qui m'était bien connu ; j'avais même le sentiment de le voir tout le temps. On l'appelait « l'amoureux de la Reine »… Oui, j'en convenais, sa présence était significative : il avait, entre autres manies, celle de n'être jamais loin de l'endroit où était la Reine. Tendu vers le lieu où elle se tenait – lieu parfois invisible à ses yeux, mais que, mystérieusement, il devinait toujours – attendait *l'amoureux de la Reine*. Il s'appelait en réalité monsieur de Castelnaux et avait occupé, du temps de sa raison saine, le poste de conseiller au parlement de Bordeaux. Mais son délire était tel maintenant que l'on avait du mal à croire qu'il avait eu un nom, un état, une profession. Parmi les courtisans, et comme du capitaine de Laroche, quoiqu'il fût plus tragique que drolatique, on s'amusait beaucoup de monsieur de Castelnaux. On répétait leurs mots, on jouait à les imiter. C'est peut-être pourquoi ils sont restés tous deux si nettement dessinés dans ma mémoire, et que je n'ai aucun effort à faire pour retrouver le teint terreux, le regard halluciné du Fou de la Reine. Pour revoir sa silhouette curieusement effacée parce qu'elle se confondait aisément avec les arbres et les branchages, et obsédante, parce qu'elle pouvait surgir n'importe où, il suffisait de croiser la trajectoire que son constant délire établissait entre la Reine et lui.

L'amoureux de la Reine était un homme grand, maigre, le visage verdâtre marqué de croûtes d'éraflures, qu'il se grattait et faisait saigner. Le plus souvent, il était silencieux, obsédé par son idée fixe. Son aspect sinistre inspirait un sentiment pénible. On avait envie de le supprimer du paysage. Et l'on désirait, comme un soulagement véritable, ne plus le croiser sur son chemin, dès qu'il s'agissait de s'approcher de la Reine. Mais non, il était toujours là. Pendant les deux heures que durait, le soir, le Jeu de la Reine, il restait sans bouger en face de la place de Sa Majesté ; à la Chapelle, il se plaçait de même sous ses yeux, juste au-dessous du balcon royal, et ne manquait pas de se trouver au Dîner du Roi, ou au Grand Couvert. Quand la Reine allait au théâtre de la Montansier, il se tenait le plus près possible de sa loge, et, pétrifié, la dévorant de ses grands yeux implorants, il ne se détournait pas une seule seconde de sa direction. On pouvait espérer, quittant le château, être délivré de cet individu funeste. Nullement. Depuis dix ans, il faisait tous les voyages de la Cour. Et même la devançait. Il partait pour Fontainebleau ou pour Saint-Cloud un jour avant la Cour ; et lorsque la Reine arrivait dans ces différentes habitations, la première personne qu'elle rencontrait, à sa descente de voiture, était son lugubre galant. Pendant les séjours de la Reine au Petit Trianon la passion de cet homme s'enflammait encore davantage. Il mangeait à

la hâte un morceau chez quelque garde et passait le jour
entier, même par temps de pluie, à faire le tour du jardin. Il marchait à grandes enjambées, toujours au bord
des fossés. Il était revêtu par tous les temps du même
costume, une veste verte et une culotte jaune. Son gilet,
qui avait dû être élégant, était en loques. De la veste
dépassaient des morceaux de la doublure. Les couleurs
étaient délavées. Son habit était décoloré de traînées
plus claires, de sorte qu'on avait l'impression que, sur
lui, l'eau n'arrêtait pas de dégouliner, même par temps
de soleil. Il tenait à la main un chapeau à plumes, les-
quelles étaient presque entièrement réduites à l'arête
centrale. Des feuilles, des brindilles se prenaient dans
le col de sa veste. *L'amoureux de la Reine* avait dans la
ville un logeur, mais la plupart du temps il passait les
nuits dehors, en faction sous les fenêtres de sa déesse. Il
fallait qu'il fasse un froid exceptionnel, ou qu'il neige,
pour qu'il y renonce. Et même, je me souviens d'un
matin d'hiver où, dans la lueur blafarde du jour et tandis que sur la surface enneigée des jardins ne se distinguaient plus que les troupes noires des corbeaux, il
avait été découvert étendu sur la terre gelée, juste au
pied de la statue du Roi Louis XV. On l'avait transporté
dans la guérite d'une sentinelle. Lorsqu'il avait repris
vie, il avait eu un moment de terreur parce que, de cet
endroit inconnu, il n'arrivait plus à déterminer où se
trouvait son adorée.

Comment était-il passé de ce qui pouvait être considéré comme une loyauté royaliste un peu exaltée à cet
amour maniaque ? Ou bien cette folie était-elle déjà là
dans sa manière de collectionner tout ce qui pouvait
toucher à l'existence de la Reine ? Il n'était pas une
gravure, une ligne qui ne parût sans qu'il l'achetât ou
la recopiât dans un grand cahier qu'il nommait *Entrée
des Coïncidences ou Registre de la Fatalité*. En guise

d'exergue il avait écrit en lettres immenses sur la première page : « Il y eut Grand Cercle dans les Appartements de la Reine. » Cette même phrase revenait plusieurs fois, mais écrite en traits fébriles et erratiques.
Reine pouvait occuper toute une page. Le cahier de
l'amoureux était noir, à l'épaisse couverture en carton.
Les angles en étaient usés et, comme son habit, le noir
de la couverture, l'encre des phrases, étaient salis,
dilués par les intempéries…

La plupart du temps, il se satisfaisait d'être là, à côté
d'Elle ou dans une évaluation infaillible de l'exact
emplacement de Sa présence. La Reine, au Petit Trianon, le rencontrait souvent quand elle se promenait
seule ou avec ses enfants. Il saluait et s'immobilisait,
comme frappé par la foudre. Après un certain temps
nécessaire pour qu'il se remette, il reprenait ses déam-
bulations au bord du fossé (il se promenait de même le
long du Grand Canal, au plus près du vide). La Reine
était déjà loin, il l'accompagnait du regard, encore bou-
leversé par la « coïncidence ». Elle, de son côté, ne
changeait jamais de chemin pour l'éviter et ne se déro-
bait pas lorsqu'elle lui avait laissé baiser sa main, et
qu'il restait ployé, les narines pincées, l'œil blanc, pris
de tremblements. Il n'avait pas la force de se relever.
C'était à un laquais de l'aider. La Reine veillait à ce
qu'il le fît avec douceur : « Ne lui faites pas de mal »,
ordonnait-elle. Commotionné, hors de lui, *l'amoureux
de la Reine* agitait sa tête dans tous les sens, et luttait
contre la crise qui le menaçait. Le plus souvent, sous
l'effet de Sa présence, il y réussissait. La crise surve-
nait plus tard. Alors on l'entendait qui hurlait dans
les bosquets *Marie-Antoinette Reine de France et
de Navarre, Marie-Antoinette Reine de France et de
Navarre*, et poursuivre en litanies *Marie-Christine,
Marie-Elisabeth, Marie-Amélie, Jeanne-Gabrielle,*

Marie-Josèphe, Marie-Caroline, sœurs de ma Reine. Ceux qui l'avaient vu dans cet état savaient qu'il se déchirait le visage avec ses ongles et se jetait la tête contre les statues – qu'il haïssait toutes. Il les traitait d'usurpatrices, de sales putes, de catins à ciel ouvert. Mais d'autres fois, le plus souvent, la cérémonie de la rencontre avec Marie-Antoinette était beaucoup plus calme. Extasié par le miracle de sa main, il murmurait seulement : « Ma Reine. » Il demeurait à genoux, immobile, et il aurait voulu que ce fût pour l'éternité.

La Reine, incapable de la moindre dureté, avait pensé à un moyen délicat de se soustraire à ses importunités : ayant un jour donné à monsieur de Sèze une permission d'entrer à Trianon, elle lui fit dire de se rendre chez madame Campan. Celle-ci avait eu ordre d'instruire le célèbre avocat de l'égarement de *l'amoureux de la Reine*, puis de l'envoyer chercher, pour que monsieur de Sèze eût avec lui un entretien. Habile à traiter toutes les causes, monsieur de Sèze lui parla près d'une heure et fit beaucoup d'impression sur son esprit, sans doute parce que monsieur de Castelnaux s'était rappelé, en écoutant l'avocat, un langage ancien qu'il avait lui-même pratiqué. Momentanément persuadé, redevenu lui-même, il fit porter un mot à la Reine où il lui annonçait que, décidément, puisque sa présence lui était importune, il allait se retirer dans sa province et reprendre ses activités passées. La Reine, très contente, exprima à monsieur de Sèze toute sa satisfaction. Une demi-heure après le départ de l'avocat, on annonça monsieur de Castelnaux. Il venait dire qu'il se rétractait, qu'il *ne pouvait pas*, par le seul effet de sa volonté, cesser de voir la Reine. Cette déclaration faite sobrement mais avec, dans le comportement, un air de résolution mortelle avait été désagréable à la Reine. Elle lui avait souri et avait fait signe qu'on le fasse se retirer, puis avait seulement dit : « Eh bien, qu'il m'ennuie, mais qu'on ne lui ravisse pas le bonheur d'être libre. » À peine retourné à la liberté des jardins, monsieur de Castelnaux, émerveillé de n'être pas séparé de son aimée, avait clamé ses litanies avec un entrain exceptionnel. Pour une fois, *Marie-Amélie, Jeanne-Gabrielle, Marie-Josèphe, Marie-Caroline, sœurs de ma Reine !* avait sonné comme un hymne à la joie, qui s'était enrichi de *Marie-Thérèse, Béatrice-Charlotte, filles de ma Reine !*. Mais cette confusion entre les vivantes et les mortes avait été particulièrement douloureuse à Marie-Antoinette, car la nuit précédente, comme elle rentrait tard se coucher, quatre bougies placées sur sa toilette s'étaient successivement éteintes, et elle n'avait pu s'empêcher d'y lire un sinistre présage.

Monsieur de Castelnaux, absorbé par son tourment, ne s'intéressait à rien d'autre. Les gens de Versailles lui étaient également indifférents, sauf moi, qu'il détestait presque autant que les dames des statues (à cause de mes fonctions de lectrice ? ou bien comme ça, pour rien ?).

S'il était ici, la Reine ne pouvait être partie. J'en étais bien d'accord. Ce qui accrut encore ma confusion :

– Mais que comprendre à tout cela ? J'ai *vu* la Reine faire ses bagages. Si elle n'est pas partie, elle est sur le point du départ. C'est une question d'heures, de minutes. C'est l'Assemblée nationale maintenant qui dicte sa loi. Voilà pourquoi la Reine s'en va. C'est simple, n'est-ce pas ? Il n'est pas besoin de savoir lire pour comprendre cela.

– Il ne faut certes pas perdre son calme pour si peu. Les vociférations des orateurs, les cahiers de doléances, ce n'est que du vent, pfuit ! un souffle… Le Roi, la Reine n'ont aucunement l'intention de reculer devant une chose aussi irréelle que l'Assemblée nationale. Les députés sont des fantoches, des marionnettes, dont ils tirent les ficelles à leur gré… Ma pauvre, cela ne va pas du tout chez vous. Prendriez-vous tant au sérieux le grand défilé d'ouverture des États généraux ? Moi, je vais vous dire ce que c'était.

Et elle est revenue tout près de moi (c'était peut-être une illusion, mais j'ai eu l'impression que *l'amoureux de la Reine* bougeait dans les feuillages).

— La réunion des États généraux, m'a-t-elle chuchoté, n'a été votée que pour servir de divertissement au fils du Roi à l'agonie. Ce ne sont pas les États généraux en eux-mêmes qui sont importants, ils n'apportent que plaintes et récriminations. Non, c'est le défilé qui a annoncé leur ouverture. C'était cela que le Roi voulait offrir en cadeau à son petit garçon. Pour le reste, ça ne compte pas.

Et elle gratta d'un ongle une herbe restée collée contre une des topazes qui décoraient un chariot de l'enfant.

La sortie du Conseil (dix heures du matin).

J'avais pu penser, après cette nuit blanche durant laquelle tant de mes certitudes s'étaient défaites (non vraiment sous le coup d'une nouvelle mais plutôt dans le creuset d'un pressentiment mortel, comme lorsque rôde une épidémie), que la vie normale au déroulement précisément établi, aux rythmes, aux bruits intimement intériorisés, avait disparu. Je crus m'être trompée en m'approchant de l'antichambre de l'Œil-de-Bœuf, sorte de carrefour de circulation mais surtout salle d'attente où, chaque matin, entre neuf et dix heures, s'assemblaient les courtisans. L'Œil-de-Bœuf était rempli de monde. Les courtisans jouissant du privilège d'avoir les entrées de la Chambre étaient massés au plus près de la porte. Les autres, à l'arrière, se tenaient en partie dans l'Œil-de-Bœuf, en partie dans la salle qui la jouxtait, la Première Antichambre. Je les aperçus de dos, dirigés vers ce point fixe de leur attention : la porte de la Chambre du Roi. Elle était fermée à deux battants. D'une seconde à l'autre, l'huissier allait paraître et, dans un parfait silence, annoncer les Grandes Entrées. Il reviendrait une heure plus tard pour introduire les Secondes Entrées. Tout semblait dans l'ordre. Les deux huissiers ivrognes avaient été renvoyés et aussitôt remplacés. J'oubliai mon désarroi. Je cherchai un coin où, sans m'asseoir, je pourrais attendre commodément. Je me mis au fond, non loin de la porte conduisant, par un couloir secret, aux Appartements de la Reine. Je m'adossai au rebord d'une fenêtre. Oui, tout allait mieux. Il y avait eu sans doute, à l'aube, une reprise en main de la situation. À moins que rien jamais n'ait été perdu, ni même risqué, tout ceci n'aurait été qu'une immense mascarade par laquelle je m'étais laissé leurrer comme tout un chacun… mais la veille, mais la nuit dernière, l'épouvantement faisait-il aussi partie de la mascarade ? Le Grand Épouvantement Royal ?

Les courtisans ne disaient mot. Quand surgissait un nouvel arrivant, certains se retournaient et, selon son importance, le saluaient d'un lent et profond mouvement de la tête, d'une inclinaison à peine perceptible, ou encore l'ignoraient, car, avec le jour, la passion de traiter chacun selon son rang avait repris son plein droit, et la gêne rétrospective d'avoir, pendant la nuit, parlé à n'importe qui, de s'être commis, et sans doute à plusieurs reprises, avec des gens qui n'étaient rien, leur était désagréable. Mais au matin, ils se reconnaissaient et le sens inné de la distance d'une personne à une autre agissait à nouveau. Ils se saluaient donc, mais à bon escient. Ces brèves ondes troublaient l'immobilité du groupe, puis l'ensemble revenait à sa pétrification initiale.

Je restais soigneusement contre la fenêtre. Je ne voulais pas me mêler à ce groupe où je n'avais pas ma place, et où, de plus, les femmes étaient en nombre restreint (leur seule présence en ce lieu et à cette heure était une anomalie. Je passai sur ce « détail » : j'avais envie d'être rassurée). Elles étaient sans doute allées chercher un peu de repos. J'en aurais eu besoin, moi aussi, mais je tenais à en savoir davantage sur les dispositions véritables de la Reine. Je rencontrai le regard scrutateur de monsieur Palissot de Montenoy, qui tenait *La Gazette des deuils de la Cour*, l'une des publications le plus avidement attendue. Quelqu'un vint à lui. Je ne m'en étonnai pas. Monsieur Palissot de Montenoy était très apprécié. Il portait aux vivants autant qu'aux morts une insatiable curiosité. Et comme il mettait au service de cette curiosité un sens de l'observation et un art de la déduction exceptionnels, il était considéré à juste titre comme l'une des meilleures sources d'informations sur la vie à la Cour et les sphères parisiennes influentes. Son savoir allait du dernier potin à de complexes tractations diplomatiques. Et, à la différence de Jacob-Nicolas Moreau qui déchiffrait l'Histoire à l'échelle de l'Éternité, le gazetier des deuils de la Cour, friand des moindres détails, la voyait sous l'angle d'une vie humaine. Il tenait un registre des derniers mots prononcés par les mourants. Je n'avais pas de sympathie particulière pour le gazetier, mais, afin d'en savoir plus, je me mis à portée d'entendre. Surprise ! C'était sans doute la première fois : monsieur Palissot de Montenoy avouait ne rien savoir de particulier. Il savait seulement ce que tout le monde savait : que le Roi avait renvoyé les troupes étrangères, mais lui pouvait dire un chiffre : ils étaient à peu près 60 000 hommes. Pour le reste : le Roi allait-il ou non céder aux États généraux qui exigeaient la dissolution du gouvernement de Breteuil et le rappel de Necker, il était, comme chacun, dans l'ignorance (je notai qu'il ne fit aucune mention, et j'en fus soulagée, des préparatifs de voyage de la Reine). Pour se rattraper et prouver qu'il avait quand même quelque chose à apprendre, le gazetier des deuils de la Cour annonça un décès, tout récent, et dont personne d'autre que lui n'était informé. Mais la mort sur laquelle chacun anxieusement s'interrogeait n'était pas une affaire d'individu. Et l'interlocuteur, déçu, quitta monsieur Palissot de Montenoy. Celui-ci dut se sentir vexé. Il resta quelques minutes la tête inclinée comme sous le poids de ses réflexions. Mais le découragement n'avait pas prise sur lui. Il se redressa et se remit à observer l'assistance.

En d'autres temps, dans l'Œil-de-Bœuf, cette salle d'attente d'un château, qui lui-même, d'un certain point de vue, n'était pour ses habitants, qu'un immense et labyrinthique monument à l'Attente, tant d'énigmes irrésolues auraient déchaîné les paris. On aurait parié pour ou contre le rappel de Necker. Et les prix, sous la fresque des enfants joueurs, auraient pu monter haut, sans doute aussi haut que lors des paris sur le sexe du chevalier d'Éon ou sur les grossesses de la Reine. Mais, alors, dans la salle au sol lisse des centaines et centaines de pieds qui journellement passaient et repassaient sur leurs invisibles traces, on n'osait aucun commentaire, on ne prenait aucun pari. Cependant, et cela me fut bien vite évident, l'atmosphère était lourde de noirs pronostics. Cet air d'irresponsabilité que j'avais humé dès mon premier réveil à Versailles, et qui en rendait la vie si légère (peut-être parce que quelque puis-

sance supérieure : Dieu ? le Roi ? l'Étiquette ? était char-
gée d'en assumer la continuité), n'était plus. Mon faible
élan d'optimisme vacilla.

Aucun des messieurs présents n'était rasé, ni poudré,
ni ne s'était même changé. Ils portaient leur habit de la
veille au soir (autant dire de toute la nuit), habit de deuil,
comme le prescrivait l'étiquette qui, pour la mort de
Monseigneur Xavier-François, Dauphin de France,
interdisait pour deux mois et demi les couleurs. On était
entré depuis le 12 juillet dans la deuxième époque, c'est-
à-dire, pour les hommes, habit noir complet avec les
boutons noirs et les manchettes de mousseline unie, des
bas de soie noire et des souliers de peau de chèvre ; les
boucles de soulier et l'épée étant d'argent. Je remarquai
un homme qui en était resté à la première époque. Il
continuait de porter des boucles de soulier et une épée de
bronze et des manchettes de batiste. Cette faute passait,
ce jour-là, inaperçue… Il émanait quelque chose de
généralement sombre dans le grand deuil dont était
drapé tout le château, le moindre recoin, le plus petit
panneau… et de spécialement navrant dans ce groupe
de gens en habits d'enterrement, silencieux, leur attention tendue vers une porte fermée. Tout le monde avait
noté l'abandon des Gardes Françaises. Il ne restait plus
pour défendre le château que les Gardes Suisses. L'effroi
était monté d'un cran. Ce que trahissait le tic de nervo-
sité de plusieurs courtisans : la tête ébouriffée, l'air sou-
cieux, ils coiffaient leur perruque – avec des gestes
d'automates, sans regarder ce qu'ils faisaient, comme,
disait-on, autrefois, la vieille marquise du Deffand,
aveugle, n'arrêtait pas, dans sa nuit, de faire des nœuds.

Une forte odeur de nourriture imprégnait tous ces
habits noirs. Elle émanait, à gauche de l'entrée de la

Chambre du Roi, du coin de Füchs, le gardien de l'Œil-de-Bœuf. Il était en train de préparer la tartiflette de son petit déjeuner. Les courtisans marinaient dans une odeur d'oignon, de fromage et d'alcool qui fusionnait avec celle de la soupe aux pois, dont Füchs faisait son ordinaire. Füchs, qui avait des manières brusques, cogna sa cuillère contre la fonte du grand poêle. L'homme jura de sa grosse voix. Attisant son feu, le nez dans sa gamelle au fond de laquelle grésillait une tranche de pain noir tartinée de fromage, il grommelait :

– Ça sert à quoi une cuillère pour une tartiflette ? et pour la soupe aux pois ? À rien. Mais j'y tiens. C'est mon bien. Pt'être qu'on peut avoir des fantaisies. S'en servir pour une purée qu'on peut pas lamper. Pt'être ! Et encore ! J'en mettrais pas ma main au feu, ça non, mais, la tartiflette, si ! elle y va au feu ! (puis se tournant vers les courtisans qu'il traitait volontiers en gêneurs). Mais qu'est-ce qu'ils attendent ? Ils sont tous bien impolis à l'heure qu'il est : ça c'est pas nouveau, mais ils sont aussi plus nombreux et sérieux – sérieux comme des papes ! Est-ce qu'il y aurait encore des mauvaises nouvelles ? Parce qu'en ce moment, ça n'arrête pas. Le deuxième Dauphin est-il malade ? Le Roi a-t-il rappelé le ministre Necker ? Mais pourquoi les Français le veulent comme ça, celui-là ? Ils crient comme des fous *Necker Necker Necker*. Ils l'appellent leur sauveur. Je peux en parler de Necker. Il vient de chez moi, Necker. Enfin, de chez le pays de mon père. Qui en voudrait en Suisse ? Les Suisses, pas bêtes, ils l'ont laissé partir sans discuter. S'il était vraiment merveilleux, ils auraient voulu le garder pour eux. *Necker Necker Necker…* S'il était un génie de la Finance, qui remplit les caisses dès qu'elles sont vides. Ou, comme le comte de Saint-Germain, un grand monsieur qui *sur simple demande* produit autant de diamants que néces-

saire pour renflouer le trésor du royaume… Là je com-
prendrais qu'on se démène pour ne pas perdre un oiseau
pareil. Un magicien qui n'avait pas besoin de manger.
Il allait à des soupers et ne faisait rien d'autre que parler. C'est qu'il en avait à raconter ! Dame ! quand on a
vécu plusieurs siècles, comme lui. Combien de siècles
au juste ? Déjà un, c'est pas rien. Mais qu'ils se battent
pour Necker, ça me dépasse. Quelqu'un qui, en Suisse,
dans son pays natif, n'intéresse personne, à l'exception
de sa petite famille. Partout on s'en fout. Sauf en France.
Les Français sont pas un peuple intelligent. C'est un
peuple de rognonneurs. Mais c'est pas parce qu'on
rognonne qu'on est intelligent. Ils sont tout le temps à
crier contre quelqu'un ou quelque chose. Ils sont
rognonneurs et moutonniers. Terrible, ça ! Et quand ils
changent d'opinion, c'est sans motif, d'un coup. Pour
l'instant, ils veulent Necker. Allez savoir pourquoi…
Ils vont rester longtemps comme ça, sans bouger. Ils
pourraient pt'être me saluer ! Non, jamais ! Ils entrent
ici comme dans un moulin. Décidément, c'est ma journée ! Si j'ai fendu ma cuillère, alors que je l'ai sortie
par erreur, on va m'entendre ! Mais qu'est-ce qu'ils
veulent, eux ? Necker, j'crois pas. Ils sont pt'être pas au
courant. Pt'être. Ils attendent d'aller chez le Roi, alors
qu'y a personne de l'autre côté. Pas de Petit Lever
aujourd'hui. Et, par voie de conséquence, parce qu'il y
a quand même une logique dans tout ça, pas de Grand
Lever. Voilà. Comment ça ? ils vont me demander. Le
Roi se lève pas ce matin ? Pt'être. Ce que je sais, c'est
que ma tartiflette crame. Bon, je la mets de côté, et je
reprends plus tard. Si je ne leur dis pas, je vais les avoir
sur le dos jusqu'à la fin des temps. Et ils sont de plus en
plus nombreux avec les arrivées pour le Grand Lever.

Chacun, en fait, avait l'oreille suspendue au verbiage
de Füchs. Mais, par dignité, il n'était pas question de

l'interroger. Enfin, pour nous sortir du doute, ou plutôt pour être tranquille chez lui, il a distinctement articulé que le Roi, la Reine, Monsieur, Monseigneur le comte d'Artois, les princes du sang et les ministres étaient depuis cinq heures du matin au Grand Conseil.

Il y eut un piétinement en direction de la Grande Galerie. Il ne fallait pas manquer leur sortie. La troupe d'affligés – les pleureurs sans larmes de cet enterrement sans convoi funèbre – s'est rassemblée non plus devant la porte fermée de la Chambre du Roi, mais devant la porte fermée de la Salle du Conseil. Ah! qui aurait pu croire en voyant ce groupe piteux que c'étaient les mêmes qui, seulement quatre jours plus tôt, parcouraient d'un air vainqueur cette galerie? Le dimanche 12 juillet avait été un beau dimanche à la Cour. Necker renvoyé, Paris soumis, il n'y avait plus de motif de se tourmenter. On respirait un air d'allégresse. Il y avait eu d'autres rébellions, elles avaient toujours été jugulées... Chacun se félicitait de la paix revenue. Une fausse alerte, rien de plus. On se sentait prodigieusement réconforté et ragaillardi par le coup d'État du 11 juillet. Le nouveau gouvernement nommé en hâte autour du baron de Breteuil rassérénait les esprits. On était en famille à nouveau. Le château bruissait d'un ton de voix joyeux. Les conversations résonnaient plus haut que de coutume et, sans que personne n'abordât directement l'événement, ils s'en communiquaient le bonheur par une volubilité retrouvée, des rires, un brillant du regard et de la parure (contre le noir de la moire, de la soie, les diamants qui venaient de réapparaître précisément ce jour-là avaient la qualité de la suprême élégance). Sans s'être concertés, ils s'étaient réunis dans la Grande Galerie. La tête haute, ils la parcouraient et reparcouraient d'un pas dansant, et échan-

geaient, lorsqu'ils se croisaient, des réflexions enthou-
siastes sur la beauté du jour. Ils n'avaient pas tous la
faconde de monsieur de Faucheux, qui, quel que soit le
climat, était le chantre incomparable du temps qu'il faisait (ce qui lui valait la faveur du Roi ; pour ne s'en
tenir lui-même qu'aux chiffres des températures, le
Souverain avait toute sympathie pour les discours qui
les incluaient), mais ils parlaient clair. Sur les miroirs
dessinés d'or étaient passés des milliers de sourires
entendus, de révérences virevoltées, d'effleurements
du bout de doigts gantés de velours, de frôlements, de
rapides étreintes, les falbalas à retroussis de perles s'ac-
crochant un instant à la pointe fleurie d'un revers de
gilet… Oui, un beau dimanche.

Dans l'après-midi, tandis que le Roi chassait, j'avais
lu pour la Reine et Gabrielle de Polignac des poèmes
de Louise Labé. À travers les noirs drapés de sa chambre
à coucher la soie des tapisseries d'été refleurissait.
Envol de pétales et de plumes. Ils tournoyaient dans la
lumière orangée de leur théâtre privé. Et je croyais
entendre, dans les brefs temps de silence entre les mots,
pétales et plumes se déposer en couches imperceptibles
sur le ciel de lit.

À quelques jours d'intervalle, nous étions très loin de
toute célébration de victoire. Ce n'était plus les mêmes
personnes. Ni la même allure, ni les mêmes visages.
Pourtant, ils n'avaient à mes yeux aucune étrangeté, car
je reconnaissais en eux l'air de panique sur fond d'insomnie avec lequel on m'attendait aux heures glauques
de la nuit pour que je fasse un peu de lecture, pour
que, par ma voix d'opium, comme disait la baronne de
L'Allée, je leur procure un peu de paix. Ces visages
marqués par la défaite m'étaient familiers (comme
m'était familière, sans laisser pourtant de m'étonner,

l'habileté à gommer, le jour venu, toute trace de blessure). Mais, cette fois, ils ne se dissimulaient plus les
uns aux autres ces visages défaits. En outre, j'étais dans
le même délabrement qu'eux.

Nous avons juste eu le temps de nous ranger et c'était
la sortie du Conseil. Elle n'était certainement pas pré-
vue pour être publique. J'ai d'abord vu, sans les identi-
fier vraiment, plusieurs personnes brillantes et parées,
en conversation très vive, peut-être même violente. Je
reconnus tout de suite, au centre, la Reine. Elle était
la seule femme. Elle s'entretenait avec le prince de
Condé. Non loin, le prince de Conti semblait subir un
long discours du baron de Breteuil. Celui-ci, qui, à son
habitude, marchait en tapant les talons et frappait fort
sa canne contre le plancher, criait sa colère. Je notais en
même temps que le comte d'Artois était encore plus
bruyamment furieux que le baron. Empourpré, hors de
lui, il s'en prenait au Roi. Soudain, dans un mouvement
qui me parut totalement fou, il s'est jeté à ses pieds et a
supplié :
– Il faut partir, je vous dis, comment vous en
convaincre, Monsieur ? Comment faut-il, mon frère,
vous le demander ?
Il y a eu des murmures de notre côté, et c'est alors
qu'ils se sont aperçus qu'ils étaient attendus, qu'il
y avait un public. Ce leur fut désagréable. Le comte
d'Artois s'est relevé. Toujours en colère et agité, il a
salué le Roi et la Reine, et s'en est allé. Il a été rapidement suivi du prince de Condé et du prince de Conti.
J'étais à côté de monsieur Le Paon, peintre de batailles
du prince de Condé. Il observait toute la scène avec
anxiété. Il me dit : « Attention, ce n'est pas le moment
de nous faire semer. » Les membres du nouveau gouvernement avaient, eux aussi, l'air anxieux. Ils regar-

daient timidement dans la direction du baron de Breteuil. Je demandai à monsieur Le Paon de me les nommer : il me désigna le duc de La Vauguyon, ministre
des Affaires étrangères, monsieur de La Porte, ministre
de la Marine, monsieur de Barentin, qui était resté
Garde des Sceaux, et Laurent de Villedeuil, qui avait
conservé son poste de ministre de la Maison du Roi.
« Enfin, c'était encore vrai il y a quelques heures »,
m'a-t-il dit.

Devenus conscients d'être observés, les personnages
qui sortaient de la Salle du Conseil avaient perdu toute
spontanéité. Il n'y avait plus la moindre expression
de colère sur les visages. Plus aucune expression, à
vrai dire. Plaqués contre la paroi (nous ne pouvions
pas reculer plus loin), nous nous enfouissions en révérences. Il a bien fallu se relever et scruter à nouveau ces
masques dont dépendait notre sort.

Le Roi, comme toujours lorsqu'il était la proie d'une
émotion forte, semblait endormi, peut-être même l'était-
il vraiment. Ses lourdes paupières presque closes, sa
moue tombante, sa démarche maladroite et chaloupée
le faisaient ressembler à un somnambule. On voyait en
lui une énorme masse de chair qui pouvait s'abattre
d'une seconde à l'autre si quelqu'un le tirait soudain de
son sommeil comateux. Cela ne risquait pas de venir de
la Reine : bien qu'à ses côtés, elle paraissait à mille
lieues. Trop maquillée, elle luisait de rouge. Elle gardait les yeux fixés droit devant elle sans accorder aucun
regard à l'assistance. Elle avait les yeux gonflés. En les
regardant, côte à côte, je songeais encore une fois que
tous deux, lui par timidité et elle par orgueil, à cause de
l'extrême myopie dont ils souffraient, n'avaient peut-
être encore jamais vu personne à Versailles. Quelques
formules leur permettaient de donner le change. En fait,
ils ne distinguaient rien, ils se mouvaient dans un uni-

vers totalement flou. Et cela depuis le début, depuis l'instant où, Louis XV venant de mourir, ils avaient entendu le galop des courtisans qui se ruaient vers la Chambre du Roi. Alors vraiment unis, terrorisés, ils avaient supplié : « Mon Dieu, priez pour nous... Nous sommes trop jeunes pour régner. »

Près de quinze ans plus tard, en cette sombre matinée de juillet, ils étaient toujours jeunes, et terrorisés. Mais unis, ils ne l'étaient pas. Ils se tenaient côte à côte, certes, mais se tournaient presque le dos. Elle, le regard fixe et dur. Lui, les yeux clos... Louis XVI en roi aveugle était convaincant. De la mince raie de couleur bleu pâle qui filtrait entre ses yeux, on ne pouvait induire aucune présence, aucune forme de vigilance. C'était l'inverse plutôt : cet infime rappel du bleu de ses yeux confirmait l'absence de regard, le *Non* jamais explicitement formulé, mais obstinément désiré, qu'il opposait au monde. *Non*, je ne serai pas roi, ce n'est pas à moi d'être roi. Et m'est revenu à l'esprit ce que l'on racontait de son enfance, qu'il n'était que le cadet, et que le Dauphin, celui qui, dès sa naissance, était appelé à régner, était exceptionnel, un petit garçon intelligent, charmant, impérieux, adulé. Il voulait régner, lui. Et il sanglota, hurla, perdit ses dernières forces en crises de rage, quand il comprit que sa maladie le conduisait à la mort, qu'il ne grandirait pas, qu'il ne serait jamais roi. Il avait beau multiplier les caprices, torturer les gens à son service, dont le mieux placé, son frère, le pauvre Louis-Auguste, sans cesse à son chevet, il sentait que la royauté lui échappait, et c'est elle qu'il voyait s'écouler en bouillonnements tièdes dans le sang dont il inondait ses draps.

« Pourquoi ne suis-je pas né Dieu ? » demandait parfois le duc de Bourgogne. Entre deux hémorragies, il prophétisait : « Je subjuguerai l'Angleterre, je ferai le roi de Prusse prisonnier. Je ferai ce que je voudrai... » Et il dictait à son frère une phrase à porter dans son *Journal spirituel :* « Eh bien, Berry, dépêchez-vous ! Quel âne vous faites ! » s'impatientait l'Enfant-Roi et presque Enfant-Dieu... « Eh bien, Berry, dépêchez-vous ! » Tout s'explique toujours, ai-je pensé alors, par le maillon manquant d'un enfant mort.

Nous avons fait plus amples révérences sur place, ils ont continué d'avancer. De nous ignorer et d'avancer. Enfin, sans quitter son air de pénible absence, le Roi a fait un bref salut et s'est éclipsé. Personne ne lui prêta attention. Sa destination était bien connue. Dix heures et demie : c'était l'heure du matin (car il y retournait plusieurs fois dans la journée) où il allait constater la température sur un grand thermomètre de cristal accroché dans le Salon d'Apollon. Ils sont restés figés, comme foudroyés par le conflit qui les opposait. Seul Monsieur, remis, semblait-il, de sa marche de la veille, souriait, avenant. Et c'est par un vers d'Horace qu'il accueillit la question de Jacob-Nicolas Moreau, pressé de savoir ce qui venait d'être décidé.

– D'une certaine manière : rien d'important, dit Monsieur (et je m'aperçus qu'il avait des mains très délicates, et qu'il bougeait agréablement les doigts, il pianotait dans l'air. Ce qui ajoutait au démenti perpétuel que sa parole, son type d'humour, sa façon de se tenir, apportaient au poids de son corps), rien qui change vraiment le cours de la vie ici.

L'Historiographe s'est incliné, flatté de la confidence. Monsieur s'est éloigné avec sa cour. Sa femme, l'air très alarmé, est allée vers lui. Monsieur a quitté son sourire et ses manières délicates.

Quelques petits groupes se formèrent. J'entendis :

– Rien n'a été décidé. C'était une réunion tout à fait normale.

– À cinq heures du matin, en présence de la Reine et des frères du Roi ! Cela ne me semble pas tout à fait normal.

Les membres du nouveau gouvernement s'étaient comme volatilisés. Le baron de Breteuil s'était retiré, peu après le comte d'Artois. Mais le maréchal de Broglie était toujours là. On l'entourait. Il fut d'abord réticent. Enfin, il se décida, et, avec une entière franchise, déclara :

– Le désastre est total. Le Roi, après avoir beaucoup hésité, a pris la décision de rester. Le gouvernement de Breteuil est renvoyé.

– Et Necker va-t-il revenir ?

– Je ne sais pas. Ce n'est pas encore absolument certain.

Un silence de mort accueillit ces paroles.

Monsieur de Barentin a constaté (il parlait très doucement, les deux mains jointes sur sa poitrine, comme s'il allait prier, ou pour un long exposé ; mais il fut bref) :

– Je crois, messieurs, qu'il faut nous résoudre à une autre dynastie.

Sur quoi le maréchal de Broglie a confirmé :

– Louis XVI n'est plus libre de ses décisions. Il est l'otage de la Révolution.

Le mot, asséné par le chef de guerre qu'était le maréchal de Broglie, sonna comme un glas. La Cour était vaincue. Mon univers tombait en miettes.

Je cherchai des yeux la Reine. C'était incroyable, cette scène se déroulait en sa présence. Les gens discutaient ouvertement, certains étaient sortis. Ils avaient quitté la Galerie sans attendre son propre départ. Et elle ne semblait pas s'apercevoir du scandale. Le visage bouffi, les épaules un peu tombées, sans rien de la hauteur élégante avec laquelle il lui était naturel de se présenter à la Cour, elle scrutait une à une les personnes qui lui faisaient face. La princesse de Lamballe, qui était la plus proche d'elle, se tendit, s'offrit. La princesse guettait un sourire, un signe de reconnaissance. Et sa déception fut impossible à dissimuler, lorsque la Reine, ostensiblement, l'ignora. La princesse de Lamballe n'était pas la personne désirée. Elle n'était pas celle pour la découverte de laquelle la Reine avait ouvert son éventail, où se dissimulait un lorgnon. Insoucieuse d'être observée, celle-ci se tenait, crispée, le nez sur son éventail. Non, elle ne trouvait pas qui elle cherchait. Il a fallu qu'elle reprenne son inspection, avec un acharnement inconcevable. Madame de Lamballe, encore une fois, s'est offerte. Et la Reine, une deuxième fois, la rejeta. Avec superbe. Pour ajouter l'arrogance à la dureté. Pour se consoler par cette cruauté du mal qu'elle endurait de son côté. Elle continua de scruter l'assistance, l'œil rivé à son éventail. Enfin, elle y renonça. Gabrielle de Polignac n'était pas là, il n'y avait aucune raison pour elle de s'attarder. Elle nous tourna le dos.

J'allai à une fenêtre. Je l'ouvris avec discrétion. Je ne voulais pas passer pour une imprudente, une provocatrice. Mais chacun était trop pris par ses tristes réflexions pour me remarquer. Je me penchai : dehors, aimanté vers le lieu où se tenait la Reine, attendait son *amoureux*. Il m'aperçut et me cria : « Toi, la Brochure, ne me regarde pas. »

Je rentrai aussitôt la tête. Le fou, dans le parc, s'éloigna.

Je me suis sentie encore plus perdue, orpheline, qu'avant la sortie du Conseil. Ainsi la Reine ne partait pas. Elle avait dû renoncer à son projet. Jacob-Nicolas Moreau, qui n'était pas partisan de ce départ, me dit :

– Une reine n'est pas une simple particulière. Elle ne s'appartient pas. Il aurait été choquant qu'elle se jette ainsi, elle et sa famille, sur les routes. Imaginez qu'ils aient été attaqués en chemin, blessés… C'était très possible, puisque, vous l'avez entendu comme moi, le maréchal de Broglie n'est plus en mesure de leur assurer la protection de l'armée. Je vous l'ai dit hier : « Nous sommes perdus. » La défaite de la Cour est définitive.

– En décidant de partir, la Reine refusait que tout soit déjà joué. C'est pour sauver la royauté qu'elle était prête à prendre de tels risques.

– Tout est déjà joué. La seule grandeur désormais est d'assumer le châtiment. Les nobles vont souffrir, mais ils l'ont mérité. Ils se sont conduits en égoïstes, en dilapidateurs, ils ont oublié tout devoir de charité. Ils ont fermé leurs oreilles aux gémissements des pauvres. Ceux-ci se vengent et c'est justice. Les pauvres, un jour, n'en peuvent plus d'être pauvres.

– Ceci arrive si soudainement, c'est effrayant…

– Il aurait fallu s'effrayer plus tôt. L'Éternel ne nous prend jamais en traître, Il envoie des avertissements. Souvenez-vous, il y a presque exactement un an, le 13 juillet 1788, cette grêle meurtrière… Dieu a fait tomber du ciel une pluie de glaçons, chacun de la forme et de la taille d'un poignard. Souvenez-vous, chère Agathe.

J'ai voulu lui prendre la main. Mais ayant fait le geste, c'est sur la poignée de son cartable que ma main s'est refermée.

Dans la Grande Galerie, la plupart des courtisans s'en étaient allés. J'eus la surprise de voir seul, oublié, le marquis de La Suze. En tant que Grand Maréchal des Logis, il tenait le poste décisif de la vie à Versailles : de lui dépendait l'attribution d'un logement. Accoutumé à être assailli de demandes, excessivement flatté, obséquieusement courtisé, monsieur de La Suze avait des stratégies pour échapper aux quémandeurs. Il n'en avait pas pour affronter cette situation sans précédent : être dans une pièce où personne ne vient vous parler. Les gens s'était dispersés sans lui adresser même un regard. Monsieur de La Suze ne savait plus que faire de lui-même. Pour un peu, il serait venu me causer. Il écarta un rideau, jeta un regard sur le parc. Simplement pour se donner une contenance. Il aurait dû, lui aussi, s'en aller. Il ne pouvait s'y résoudre. Enfin, il fut tiré de cet embarras par l'appel d'un de ses serviteurs. Le marquis se retourna. Un serviteur, cela faisait un moment qu'il n'en était pas apparu ! En plus, il s'agissait de Sautemouche, un garçon sympathique. Il arrivait de Paris :

– Alors, Sautemouche, dis-moi, comment cela va-t-il à Paris ? demanda monsieur de La Suze avec un sourire.

– Très bien, Monseigneur, tout va à merveille. Le peuple s'est emparé de la Bastille avec tant d'ordre et de méthode qu'on ne peut que l'admirer. Messieurs de Launay et du Puget ont été condamnés à perdre la tête. Ils ont subi leur arrêt sans délai. Leurs têtes, comme décidé, ont été promenées au bout d'une pique.

Angst… Je sentis une masse qui opprimait ma poitrine et, perlant de la nuque jusqu'au bas du dos, une sueur qui n'était pas de chaleur. J'avais de la difficulté à déglutir… comme un insecte avalé par mégarde, qui enfle et se débat dans votre gorge, puis se calme, s'immobilise et fait là son nid pour toujours… *Angst*… Je m'essuyai la sueur sur le front… Et je me souvins d'un été à Marly où la mode avait été de jouer à *la peur*. « Encore une *peur* ! » suppliaient les dames assises en cercle dans la roseraie, lorsque quelqu'un suggérait d'une voix déjà prise de sommeil qu'il était peut-être l'heure d'aller dormir… « Encore une *peur* ! » J'eus envie de retrouver ce parfum dans l'air, cette douceur. Et je revis avec précision la robe blanche que portait la Reine, une nuit de cet été de *la peur*. La manière dont elle souriait dans l'ombre…

Colère de la Reine de ne pas partir (onze heures du matin).

Jeudi 16 juillet. J'avais inscrit sur mon carnet une séance de lecture. Rien n'aurait pu me dissuader de m'y rendre. J'étais la proie d'une sorte de fanatisme inutile et désespéré. À peine recoiffée, pas lavée, j'avais jeté n'importe quels livres dans mon grand sac de velours, mais j'étais prête. Pour dissimuler l'état de mes cheveux, je m'étais coiffée d'une charlotte bleu marine. J'avais le même paletot gris depuis des jours, et ma jupe, que je pris quand même le temps de changer, était trop légère pour la température et mal adaptée à l'heure. Je m'acheminai, résolue. La Reine avait renoncé à partir. Le Roi n'avait pas suivi sa décision. Ce devait être pour elle une blessure insupportable. Je ne m'accordais pas d'y songer. Cela seul m'occupait : j'allais la revoir.

La Reine était là, en effet. Vraiment là. Debout, extrêmement agitée, elle considérait avec colère le désordre qui l'entourait. Trois ou quatre femmes, qui se faisaient aussi petites et discrètes que possible, étaient en train de défaire les bagages, d'ailleurs inachevés. La Reine ne disait mot, mais il me sembla que tout l'espace était habité de sa fureur. Mon assurance m'abandonna. Je désirais me retirer. Je me maudis pour cette obstination butée de ma part. Comme j'hésitais, accrochée à mon sac lourd de sa charge absurde de livres, je m'aperçus que la Reine n'avait eu aucunement l'intention de faire supprimer cette séance (maintenant il m'apparaît clairement qu'elle ne l'avait pas supprimée faute d'y avoir songé. À cette heure-là, d'après ses plans, elle aurait dû déjà être en route). Dans le coin où madame Campan m'installa était posé le traditionnel verre d'eau sucrée, auquel avait été ajoutée une douceur : une coupe de crème fraîche parsemée de groseilles. Je considérais les fruits rouges avec effarement. Je me demande même si je ne les pris pas pour des rubis, qui auraient été oubliés du coffre à bijoux. Je restais à les considérer. Madame Campan me dit tout bas de commencer. J'étais fixée sur ces groseilles, comme liée à un charme. « Mais qu'attendez-vous ? » insista madame Campan. Je fouillai à l'aveugle dans mon sac. Rien de ce que je retirai ne me sembla en accord avec la situation. À ce point de faiblesse, je m'humiliai jusqu'à demander à madame Campan :

– Que croyez-vous qu'il serait opportun que je lise à Sa Majesté ?

Et, à l'instant, la honte acheva de m'obscurcir l'esprit (elle revient, aussi violente, me brûler les joues). Madame Campan s'offrit la satisfaction de ne pas répondre. Elle échangea un regard chargé de sens avec une des femmes de chambre, madame Auguié, sa sœur. C'était le comble. Je pris, sans regarder, un volume du philosophe David Hume. Sur quoi madame Campan me chuchota :

– Madame Laborde, pas un protestant, voyons !

Ma honte redoubla. Je me sentais refoulée plus bas que terre. Je n'avais plus aucun jugement. Je passai d'un protestant à un jésuite ! C'était mieux. Ce n'était pas excellent. Quant au texte lui-même, le choix était déplorable. J'avais ouvert un récit de voyage, un volume des *Lettres édifiantes et curieuses des missions de l'Amérique méridionale*. Une lettre du père Cat. Je débutai :

« Voici une chose que j'ai trouvée digne de remarque… Lorsqu'il pleut sous la zone torride, et surtout aux environs de l'équateur, au bout de quelques heures la pluie paraît se changer en une multitude de petits vers blancs assez semblables à ceux qui naissent dans le fromage. Il est certain que ce ne sont pas des gouttes de pluie qui se transforment en vers. Il est bien plus naturel de croire que cette pluie, qui est très chaude et très malsaine, fait simplement éclore ces petits animaux, comme elle fait éclore en Europe les chenilles et les autres insectes qui rongent nos espaliers. Quoi qu'il en soit, le capitaine nous conseilla de faire sécher nos vêtements. Quelques-uns refusèrent de le faire, mais ils s'en repentirent bientôt après, car leurs habits se trouvèrent si chargés de vers qu'ils eurent toutes les peines du monde à les nettoyer… »

J'aurais dû fermer le livre, faire un autre choix, j'en étais incapable. Je pus seulement sauter quelques pages, pour en venir à ces lignes, si belles, bien que décrivant des mœurs de païens :

« Les Indiens donnent à la lune le titre de mère, et l'honorent en cette qualité. Lorsqu'elle s'éclipse, on les voit sortir en foule de leurs cabanes, en poussant des cris et des hurlements épouvantables, et lancer dans l'air une quantité prodigieuse de flèches pour défendre l'astre de la nuit des chiens qu'ils croient s'être jetés sur lui pour le déchirer. Plusieurs peuples de l'Asie, quoique civilisés, pensent sur les éclipses de lune à peu près comme les sauvages de l'Amérique. »

C'était trop tard, la pluie d'asticots s'était déversée. Madame Campan, nettement ironique, comptait les chemises. Elle donna un ordre à des repasseuses. Puis elle se tourna vers la Reine. Celle-ci, dégantée, se mordait un ongle. Elle semblait n'avoir rien entendu. Elle était assise sous un grand portrait de sa mère, brodé au point de croix, et observait d'un regard courroucé le va-et-vient qui l'entourait. Enfin, elle a dit deux mots à madame Campan, qui est accourue : « Vous seriez bien bonne de faire cesser ces bizarreries. » Puis elle a repris le compte des chemises.

Je tentai monsieur Marmontel, de meilleure compagnie, et qui n'était ni protestant, ni jésuite. Je pris un volume des *Contes moraux*, d'où rien de choquant ne pouvait surgir : « Si vous vous rappelez le marquis de Lisban, c'était une de ces figures froidement belles qui vous disent *me voilà*; c'était une de ces vanités gauches qui manquent sans cesse leur coup. Il se piquait de tout et n'était bon à rien; il prenait la parole, demandait silence, suspendait l'attention, et disait une platitude… » Dès les premiers mots, la Reine s'était enfoncée dans son fauteuil. Une femme était venue lui rapprocher le tabouret de pied. À bout de patience, elle avait fait signe que j'arrête.

– Je vous remercie. Ce marquis de Lisban n'a rien pour me plaire. Et je ne le connais que trop. Lui et ses semblables… Vous reprendrez la lecture plus tard. Vous tenterez un autre conte. Ne vous éloignez pas.

Elle m'avait dit ou fait dire cela des milliers de fois. Le *plus tard* était empreint d'une grande politesse, bien que la chose fût prononcée dans le vide, adressée à personne. Je me levai, pris mon pliant, et m'écartai dans

161

un coin, le livre à la main. J'étais dans un réduit décoré de lierre et liseron en relief peints en laque verte. Le lieu était exquis mais, alors, il me parut sinistre. *Plus tard* tardait. J'étais oubliée. Il me semblait que, contre ma paume, la tranche en cuir des contes moraux de Marmontel allait s'incruster.

Elle se détacha pourtant, d'un coup, en douceur, à la demande d'une nouvelle lecture. *Plus tard* tardait, mais finissait, le plus souvent, par advenir. Que lire ? Un autre conte ? Je n'en avais pas avec moi et ce n'était pas le moment de chercher dans les bibliothèques. Un ouvrage sérieux ? Pourquoi pas ? Je songeais à Antoine Court de Gébelin, un savant extravagant qui, pour des motifs qui me restent mystérieux, plaisait à la Reine. Mais Antoine Court de Gébelin n'était pas dans mon sac. Au lieu de ça, je sortis un *Dictionnaire des chiens célèbres*, chose qui, en une autre situation, étant donné son amour des chiens, pouvait tout à fait intéresser la Reine. J'hésitais à ouvrir l'*Histoire du Ciel* de l'abbé Pluche, c'était si vaste, je craignais d'aggraver son inquiétude. Finalement, je me rabattis sur le livre que j'étais en train de lire – et qui maintenant même n'est jamais loin de mon chevet. C'était un recueil de récits de madame de La Fayette. Une page de *La Princesse de Montpensier* s'offrit d'elle-même :

« Un jour qu'il revenait à Loches par un chemin peu connu de ceux de sa suite, le duc de Guise, qui se vantait de le savoir, se mit à la tête de la troupe pour lui servir de guide ; mais, après avoir marché quelque temps, il s'égara et se trouva sur le bord d'une petite rivière qu'il ne reconnut pas lui-même. Toute la troupe fit la guerre au duc de Guise de les avoir si mal conduits, et, étant arrêtés en ce lieu, aussi disposés à la joie qu'ont accoutumé de l'être de jeunes princes, ils aperçurent un petit bateau qui était arrêté au milieu de la rivière, et, comme elle n'était pas large, ils distinguèrent aisément dans ce bateau trois ou quatre femmes, et une entre autres qui leur parut fort belle, habillée magnifiquement, et qui regardait avec attention deux hommes qui pêchaient auprès d'elle. Cette nouvelle aventure donna une nouvelle joie à ces deux jeunes princes et à tous ceux de leur suite : elle leur parut une chose de roman. »

Je lisais. Tout s'était tu autour de moi. La Reine écoutait. Je n'avais pas besoin de voir l'expression de son visage pour en être sûre. Cet espace qui, à mon arrivée, était occupé par le chaos, devenait limpide, ordonné. Il était l'intérieur même de son esprit. Je lisais. Il y avait une douceur et une fierté secrète dans ma voix. Elle avait réussi cette merveille : libérer la Reine de l'étau de la fureur et des regrets. La Reine s'abandonnait à la suite des mots, comme à des notes de musique. Elle renaissait et j'étais l'instrument de sa renaissance. Ah ! que dure cet instant, me disais-je et j'avais l'impression de la tenir suspendue, dans l'air, ou flottant sur une rivière, telle l'apparition ensoleillée de la princesse. Mais lorsqu'on annonça Gabrielle de Polignac, la Reine aussitôt m'échappa. Les femmes disparurent. La comtesse de La Fayette se tut. Il fut demandé à madame Campan de rester. Je fis de même, celle-ci me trouvant de quelque utilité (sa sœur et madame de Rochereuil étaient occupées ailleurs) pour poursuivre le travail de rangement. Un minutieux et discret transfert d'objets auquel elle se livrait depuis que lui avait été communiquée la nouvelle de l'annulation du départ.

Aujourd'hui, la pluie, le doute et mes feuilles
éparpillées au sol. Puis, avec le retour du
soleil, mon séjour chez le prince de Ligne
(Vienne, juin 1810).

Je ferais bien d'appliquer maintenant le conseil
de monsieur de Montdragon, de battre des mains toute
seule dans mon lit. Mes mitaines de dentelle ne me pro-
tègent pas assez, celles de laine me font les doigts
gourds. Cette impression de froid s'aggrave des douleurs que me cause un mois de juin terriblement humide.
Un mois si pluvieux, boueux, désastreux, que je n'y
trouve pas le moindre signe avant-coureur de l'été.
L'angoisse, *Angst*, est là. Couchée, les yeux fermés,
affaiblie parce que je n'ai plus du tout envie de me
nourrir, je me dis : Laisse-toi mourir, n'attends plus
rien, et surtout pas le retour des beaux jours. Qu'est-ce
qu'ils changent d'ailleurs pour toi ? Qu'ajoutent-ils ?
Des parfums de fleurs, du ciel bleu, des voix de gens
au-dehors… Et alors ? En quoi cela va-t-il te redonner
l'énergie de vivre ? Mes feuilles, tombées par terre,
s'éparpillent sur le tapis. Non seulement, lorsque je suis
forcée de faire quelques pas dans ma chambre, je ne
fais aucunement attention à ne pas poser les pieds dessus, mais j'enfonce volontiers l'extrémité de ma canne
dans le papier pour le froisser, le déchirer, le tuer. Mes
journées sont mortelles. Je chute dans mes nuits comme
dans un gouffre d'insomnie. Enfiévrée, il m'arrive de
m'égarer. Je me suis surprise, par deux fois, à commencer une prière à la Vierge Marie, et c'est le nom de
la Reine qui a surgi : « Ô Marie-Antoinette… » La
seconde fois, j'ai sursauté, car, doublant mon adresse,
la voix du fou a explosé dans ma tête. Est-il possible

qu'au lieu où il est, parmi les morts, il continue de troubler de ses litanies les âmes livrées au Repos Éternel, et
la Reine, dans sa bonté, continue-t-elle de l'excuser ?
Le sentiment d'indéfini que j'ai eu avec la neige, je
l'éprouve maintenant avec la pluie. Un découragement
immense, et certainement démesuré par rapport à ce qui
n'est que du mauvais temps, me fait monter les larmes
aux yeux. Il y a ce martèlement des gouttes d'eau
contre les pavés de la cour. Il est le fond continu, régulier. Le thème ressassant de la vanité, *vanitas vanita-
tum*, vanité des vanités... C'est ce que j'entends dans
le bruit monotone de l'eau. Sur cette basse, où tout se
noie, la pluie s'amplifie en averses. Elle cogne contre
mes vitres (à cause du vent qui s'en mêle, elle frappait
tout à l'heure, presque perpendiculaire), puis elle s'atté-
nue, retourne à son mode pugnace et régulier, fait pour
ne jamais cesser ; ou bien elle devient bruine, et lorsque
je tire mes rideaux le matin, ils ouvrent sur un brouillard
de novembre. Des parfums de foin mouillé traînent
dans Vienne. Le Danube, comme à la fonte des neiges,
recouvre ses rives. On parle d'effondrements de ponts,
de glissements de terrain. Dans les faubourgs miséreux
qui entourent la ville, on enregistre les premières victimes d'une épidémie de choléra. Je ne connais pas
Paris, puisque je suis venue directement de ma province à Versailles, j'ignore si c'est ou non une capitale
vouée au culte de la Mort (je veux dire par vocation et
pas seulement par crise, comme pendant la Terreur),
mais je sais que Vienne l'est. Elle est capitale du
Royaume de la Mort. Pour qui en douterait, il suffit de
se promener sur le Graben et de voir, dans le bruyant
va-et-vient des voitures et le passage des promeneurs,
la manière dont domine et vous arrête la Colonne de la
Peste. Elle est tentaculaire et terrible. Impossible de s'y
arracher... Je glisse. J'ai perdu l'été de la peur et je ne

rejoins pas la saison des vivants. Je dérive, recroque-
villée sous mon édredon. J'ai la sensation d'être rejetée, expulsée. Si je pouvais respirer à fond, tout me
serait rendu, j'en suis sûre : j'habiterais à nouveau ce
monde ancien, antédiluvien, ce monde de l'autre côté
du fleuve du Temps. L'éclat du regard de la Reine, à
l'instant où je réussis à capter son attention, s'est éteint.
La princesse de Montpensier n'est plus qu'un squelette
qui se balance au-dessus de l'eau. Et tous ces visages si
jeunes, si proches, avec leurs petits cheveux bouclés
qui s'échappent des perruques blanches et leurs sourires ambigus, sont rentrés dans la nuit d'où ils avaient
surgi. Leur front poudré, leurs lèvres rouges, et leurs
mains blanches, des mains qui ne sont pas faites pour
tenir, mais pour effleurer, caresser, bouger dans l'air...
Est-ce pour cela qu'ils ont lâché prise immédiatement ?
Par incapacité à tenir serré, à résister ? Il y a une anecdote qui m'a frappée : un jeune garçon de la noblesse
est pour la première fois autorisé à sortir seul. Comme
il connaît les soucis financiers de sa famille, il s'amuse
mais en faisant attention à ne pas trop dépenser. Au
retour, très fier, il montre l'argent économisé à son
grand-père. Au lieu de le féliciter, celui-ci le toise avec
mépris, lui prend son pécule presque intact, ouvre une
fenêtre et le jette... Des mains ainsi éduquées n'avaient
certes pas appris à s'accrocher... Elles savaient jeter,
par contre. Elles jetaient à la perfection. Et les domestiques faisaient comme leurs maîtres. À Versailles, c'est
fou ce qu'ils jetaient par les fenêtres. Plaintes, réclama-
tions, réprimandes, rien n'y faisait. La nuit, j'étais
réveillée par le bruit de vérandas brisées. Mais moi, qui
ne jetais rien, et qui ai des mains qui savent tenir serré,
comment ai-je pu m'embarquer si facilement avec des
gens qui ne tenaient à rien ? Facilement n'est pas le
mot. Tout se dérobe, les mots, mon envie des mots, ma

constance à m'y appliquer... La pluie ne ralentit pas ses allures de forcenée. Vienne déjà plus qu'à moitié démolie, va-t-elle finir inondée ? Je ferme les yeux. Je dors sans dormir. Je vis sans vivre...

Enfin, un matin, le soleil est revenu. Il a libéré mes sanglots. Je pleurais, de la lumière plein les yeux. Et je compris que ce n'était pas l'attente de l'été qui me minait, mais la crainte de ne plus savoir m'en réjouir. J'avais tort. J'en suis toujours capable. Je suis heureuse, tard le soir, quand, installée dans l'embrasure de la fenêtre, j'admire le ciel encore clair, le jour qui persiste à durer. Et je goûte à nouveau ce plaisir : sentir la douceur de l'air. Mais, à Vienne, la douceur n'a qu'un temps. Le plein été est trop chaud, orageux, épuisant. Des moustiques, toutes sortes d'insectes transportent des maladies étranges. Il passe là quelque chose des moiteurs de Versailles, mais sans aucune des splendeurs qui s'y attachaient. C'est la pestilence du monument du Graben qui, sournoisement, s'insinue et tue. Je vais, comme chaque année, faire un séjour dans la maison de montagne du prince de Ligne, au Kaltenberg. C'est un lieu délicieux, comme tous ceux qu'il occupe. Délicieux par sa gaieté, par ce plaisir, à fleur de peau, que le prince met dans tout ce qu'il fait. Et même lorsqu'il ne fait rien, cette vibrante proximité au bonheur est là. Pour cet été, le prince m'a promis une de ses plus jolies maisons, du moins celle que je préfère. Il en possède neuf, petites, en bois. « Ma » maison est tout à côté du fleuve (elle s'appelle « la maison du pêcheur à la Ligne »). Ses volets sont découpés en leur milieu d'un cœur...

J'ai attendu le mois d'octobre non pour rentrer chez moi mais pour reprendre mes feuilles. Pendant le séjour chez le prince, il s'est produit un accident qui m'attrista : une gouvernante de la princesse de Ligne a mis le feu à sa robe. Très vite elle fut transformée en torche vivante. Au lieu de la secourir, les laquais accourus ont cru voir un fantôme. Ils se sont enfuis en poussant des cris aussi épouvantables que ceux de la malheureuse victime. Ce fut le seul incident pénible de notre villégiature... Un mois à la campagne, un mois à nous donner l'illusion que nous étions hors du temps, ou plutôt que nous avions su l'arrêter. Au bon moment. Le prince est un virtuose de l'oubli. Et la seule forme de gratitude qu'il attende de ses invités est, je crois, qu'ils fassent comme lui, qu'ils se décrètent jeunes, étourdis, magnifiques pour l'éternité. J'ai du mal.

Un après-midi où je sommeillais sous un arbre, il s'est approché de moi et m'a gentiment sermonnée : « Il est risqué de faire la sieste à nos âges, c'est donner prise à la Faucheuse. Or il ne faut pas lui accorder ça. » Il a fait glisser son pouce contre ses dents de devant (le prince a parfois des manières exécrables – elles font partie de son charme ! Ce geste, en l'occurrence, lui permet de souligner qu'il lui reste des dents). Il a pris un fauteuil, s'est assis en face de moi : « Vous allez me dire que vous êtes fatiguée, vous ne l'êtes pas, absolument pas ! Je vous assure, c'est un préjugé. » J'insistai, alors il m'a dit : « Regardez-moi. Ai-je l'air fatigué ? (et il faisait trembler ses deux anneaux d'or aux oreilles). Pourtant il ne tient qu'à moi d'être vieux. Moi aussi, j'ai de quoi. » Ce « j'ai de quoi » m'a enchantée.

Chez le prince de Ligne, on ne parle que français. On vit exactement comme en France sous le règne de Louis XVI. Les mêmes habitudes, les mêmes manières, les mêmes tics de langage, presque les mêmes modes. Ses amis du moment l'appellent *Charlot* comme faisaient ses intimes à Versailles. Les concessions au présent sont minimes. Quand, par mégarde, une formule allemande traverse la conversation, il y a un silence choqué.

– On ne sait pas rire en allemand, dit le prince de Ligne.

– Pourtant la Reine savait rire. Et ce n'est pas à Versailles qu'elle avait appris ; mais ici, à Vienne, en allemand.

Tandis que je faisais cette réponse, qui m'avait échappé et que je regrettai aussitôt, car je n'aime pas contrarier le prince, j'ai cru entendre la Reine, toute proche. Elle riait. Le prince était étendu sur une chaise longue, ses yeux clignaient vers le ciel. « Comme c'est exquis, le parfum des tilleuls », a-t-il soupiré. Une servante s'est penchée pour rehausser un coussin dans mon dos. Alors je remarquai les jambes du prince, décharnées, arquées, mal moulées dans ses bas blancs, qui tournaient et faisaient des plis au-dessus de chaussures rouges à talons, que plus personne au monde, à part lui, ne portait. Il avait de quoi, en effet. Une vague de fatigue m'a submergée. Je continuais d'entendre contre mon oreille le rire de la Reine, mêlé au bourdonnement des abeilles dans les tilleuls. Les paroles du prince de Ligne m'étaient devenues inaudibles. Et, derrière lui, le parc à la française, l'allée qui descendait vers les maisons du bord de l'eau, et le fleuve lui-même, perdaient toute réalité. Christine, la fille du prince de Ligne, a réussi à percer ce brouillard, mais ce fut pour rejoindre bientôt l'horizon spectral dans lequel l'été s'était dilué. Des cerises, j'eus soudain une violente envie de cerises. Et je songeais : « Où aller les prendre ? À qui en demander ? » Et, comme appelés par ma question, les personnages du Grand Degré me sont apparus. Les hommes portaient l'habit de Cour du XVIIe siècle.

Leurs perruques les couvraient de la tête au milieu du dos. Les femmes avaient d'immenses robes à panier. Les marches brillaient. Elles étaient neuves, de marbre blanc. Comme à chaque fois dans ce rêve, c'était l'immobilité des courtisans, leur espacement rigide, qui me fascinaient. Et leurs visages qui m'étaient familiers, sans que je puisse jamais en reconnaître un précisément... Comme s'ils ne se présentaient à moi que pour se refuser. Et puis, de tout en haut, la Reine est apparue. Elle descendait en courant le grand escalier de marbre. Personne ne se tournait ni ne faisait la révérence sur son passage. Les yeux restaient fixes. Il y avait, au contraire, quelque chose d'irrépressible dans la vitalité de la Reine. Elle ne se contentait pas de courir : elle sautait. Et à chaque saut, de marche en marche, les cerises qu'elle portait en boucles d'oreilles menaçaient de s'envoler. Un homme, un juge minuscule, couvert comme d'un manteau de sa perruque à marteaux, a proféré sur son passage : « La Reine a le goût âcre des bacchantes. »

Qui peut souffler des rêves pareils ? Le Diable ne fait-il donc jamais de trêve ?

Je dois le dire à l'honneur du prince, dans son rejet de la nostalgie, il fait exception pour la Reine. Il est ici la seule personne qui prononce son nom. La seule personne aussi qui aille régulièrement se recueillir sur la tombe de Gabrielle de Polignac, morte de chagrin, à Vienne, le 5 décembre 1793. Quand nous sommes ensemble, et qu'il a envie de parler de la Reine, il commence toujours par : « Vous souvenez-vous ? » Je n'ai pas à répondre. Nous fréquentions chacun la Reine selon deux mondes qui ne communiquaient pas. Il serait grossier de ma part que je fasse seulement semblant de chercher à me souvenir. Cependant il y eut une fois où le prince évoqua une chose dont je me souvenais moi aussi. Je ne l'ai pas dit, mais, tandis qu'il racontait, je revoyais très exactement la scène : c'était il y a très longtemps, au tout début de leur amitié, la Reine et Gabrielle jouaient à ce qu'elles appelaient « le jeu de regarder flotter les éventails ». Elles se rendaient sur un petit pont du Hameau de Trianon et se penchaient sur l'eau, laquelle, prétendaient-elles, était couverte d'éventails. Elles décrivaient leurs couleurs, leurs beautés. En soie ou en papier, ils flottaient, grands ouverts. Elles s'attristaient lorsque, peu à peu, ils coulaient. À leur suite, les dames d'Honneur et d'Atours, la cohorte des dames du Palais, des courtisans, se bousculant le long du ruisseau, scrutaient l'eau.

Il y a un plateau de figues sur ma table de nuit. Elles sont posées sur leurs feuilles, encore incroyablement odorantes. Mon château de Solitude, mon théâtre de Mémoire, s'est refermé sur moi. « Vous souvenez-vous ?... »

Dans les Petits Appartements de la Reine (une heure de l'après-midi). J'assiste, malgré moi, à une entrevue entre la Reine et sa favorite.

– Ah ! Madame, j'avais imaginé un autre accueil, d'autres circonstances.
La Reine désigna une malle, un coffre, des sacs entrouverts. Ils rendaient quasi impossible de se mouvoir dans des pièces aussi minuscules, calfeutrées de rideaux et de tapis, pleines de petits meubles, eux-mêmes couverts de portraits, boîtes, vases, bibelots, de corbeilles de fleurs en nacre, ivoire, ébène, porcelaine, plumes et soie. Mais Gabrielle de Polignac, mince et

souple, n'eut pas de mal à se faufiler entre ces bagages désormais inutiles. Aux yeux de la Reine ils étaient d'autant plus encombrants qu'ils lui rappelaient cruellement son échec. Gabrielle, le teint blanc, les cheveux flottant sur ses épaules, portait une robe verte. Une large ceinture soulignait sa taille. La jeune femme était petite, toute en courbes douces. Et c'étaient cette douceur, cette égalité d'humeur qui avaient charmé la Reine. La favorite avait une beauté naturelle, une fraîcheur qui prenait, au cœur de Versailles, là où régnaient le maquillage et les éclairages sophistiqués, un éclat étonnant. À côté d'elle, les autres femmes de la Cour semblaient des automates, aux gestes durs, à la démarche mécanique, à la parole impérieuse, coupante. Tandis que sa voix à elle était douce, son maintien effacé. On la remarquait précisément parce qu'elle ne faisait aucun effort pour l'être. Ses yeux clairs ne s'attardaient sur personne. Rendus plus pâles par le contraste avec ses cheveux bruns, ils accentuaient en elle un caractère d'insaisissable.

Gabrielle fit une révérence si légère et rapide qu'elle ressemblait au premier temps d'une danse. Elle allait recommencer, mais la Reine s'est levée et l'a prise dans ses bras. Il y avait quelque chose de tremblant, comme de friable, dans tout son être. La brève éclaircie de sérénité, produite par ma lecture, s'était effacée.

— Je voulais tellement ce départ ! Je n'ai jamais voulu quelque chose aussi fortement ; et je ne l'ai pas obtenu. J'ai subi une mortification sans précédent.

La colère allait la reprendre, mais sous l'effet de la présence de son amie, la tendresse et la tristesse prirent le dessus.

— Si le Roi avait accepté, nous étions sauvées, vous et moi. Et à notre retour, je puis vous l'assurer, les rumeurs infamantes auraient cessé, et ce délire qui gagne les Français. Ils ne savent pas. Ils ne comprennent pas ce qui leur arrive. Ils entendent hurler et, avant qu'ils aient pu réfléchir, *le* cri est déjà en eux. Un seul cri pour tout le pays. Mais un cri de quoi exactement ?

Gabrielle de Polignac n'avait pas de réponse et elle ne fit pas l'effort d'en chercher. Elle eut un bref coup d'œil vers un miroir, aperçut leurs deux visages réunis, ou le sien seul, et toucha une rose, piquée dans sa chevelure. Elle remua la tête pour être sûre que la fleur tenait bien. Ce geste était minime. Il suffit, aux yeux de la Reine, à briser l'enchaînement des préoccupations, la menace du monde extérieur. Les bagages avaient perdu toute signification. Ils étaient tout juste la trace d'un caprice.

La Reine fit asseoir son amie à côté d'elle, sur un siège de la même hauteur que le sien, un fauteuil que, dans cette pièce, seul le Roi avait jusqu'alors occupé. Elle se pencha vers Gabrielle :

– Ô mon âme… je me faisais du souci ; je craignais qu'on ne vous empêchât de venir me voir, que vous ne fussiez prisonnière, ou malade. Des idées terribles me troublaient. Mais vous êtes là, resplendissante !… Comme vous êtes belle dans cette robe verte, vert pâle – vert d'eau, vert tilleul ?

– Je ne sais, Majesté, les nuances m'échappent.

La gaieté de ses yeux, de sa bouche, d'une ombre de fossette sur la joue gauche, disait assez qu'elle se moquait des nuances, et même, pour être exact, qu'elle se moquait de tout. Mais elle poursuivit par jeu, et parce qu'elle savait que, la Reine ayant peu de suite dans la conversation, cela ne risquait pas de l'emmener loin. D'ailleurs, sans avoir sa passion pour les tissus, elle aimait bien parler de mode. La Reine, de son côté, se jeta dans ces propos de frivolité avec ardeur.

– Ma robe est-elle vert amande, vert pousse de bambou, vert jade, vert jeune crocodile ?

– Vous vous trompez, ma belle, riait la Reine, c'est aussi peu vert jeune crocodile, que vert épinard, ou vert acide…

– … ou vert envie, un vert hideux.

– Immonde.

– Une couleur pas franche.

– Et un sentiment, ma douce, qui n'a jamais effleuré votre cœur. C'est pourquoi il m'est précieux de vous voir. (Elle se pencha encore plus près et lui caressa la joue, celle à l'esquisse de fossette.)

« … Vraiment, reprit la Reine, il me semble que l'envie est le sentiment le plus répandu. Chacun ne fait que convoiter la place au-dessus de la sienne. C'est l'unique moteur des actions : les gens s'agitent pour calmer leur envie, mais dès que la place tant désirée est atteinte, ils découvrent la position supérieure. Celle-ci, bien sûr, leur fait de l'ombre, et ils doivent repartir à l'assaut. Quel tourment ce doit être, ce perpétuel besoin d'action et ce pourrissement simultané de toute satisfaction ! Je connaissais l'ambition des courtisans, je n'avais pas songé à l'ambition du peuple.

– Tout un programme…, a répondu Gabrielle de Polignac sur un ton parfaitement détaché.

– Nos sujets prétendent élire celui qui les dirige. Voilà une étrange conception ! Et ils pensent qu'ils aimeront ce chef qu'ils auront choisi…, mais comment aimer un maître que l'on n'a pas connu enfant ? Le Roi Louis XV m'a raconté cette scène de son enfance. C'était pendant la régence de Philippe d'Orléans, il habitait aux Tuileries. Quand il allait jouer sur un balcon, au-dessus des jardins, la nouvelle aussitôt s'en propageait. Les Parisiens couraient se rassembler. Ils restaient des heures, la tête levée, dans l'espoir d'apercevoir leur petit Roi en train de jouer. Les Parisiens… Ils ont bien changé ! Vous n'êtes nullement envieuse,

Madame, pourtant votre enfance n'était pas gaie. Orpheline très jeune, sans ressources, vous aviez de quoi envier la chance des autres.

– Ah! oui? Je n'y ai pas pensé, a dit Gabrielle de Polignac. (Et elle a écarté, sous la rose glissée dans ses cheveux, une boucle qui lui cachait le front.)

– Parlez-moi, je vous connais si peu, au fond. Et si nous devions un jour… Racontez-moi davantage, ma chère, demanda la Reine comme suspendue à cette source de candeur et qui voulait y boire encore et encore.

– Je suis, Majesté, parfaitement satisfaite de mon sort. Ce fut toujours ainsi, je crois. C'est, chez moi, un trait de personnalité. Mais la générosité de Sa Majesté a fait que mon contentement est désormais sans bornes.

Gabrielle de Polignac ne semblait pas désirer que la conversation prenne un tour plus intime. Elle n'aimait pas parler d'elle-même et aurait sans doute préféré retourner au jeu de nommer les couleurs. Cependant, puisque la Reine insistait, il lui fallut évoquer sa mère, morte jeune et qu'elle n'avait pas regrettée. Même de son vivant, sa mère était absente. D'ailleurs, elle en avait peu de souvenirs. Sauf, vaguement, d'une femme à la taille fine, délicieusement parée, en train de lui dire au revoir… Elle se penche sur elle, et avant que l'enfant ait eu le temps de lui rendre son au revoir, elle n'est plus là. Il y a le bruit menu de ses talons dans l'enfilade des pièces sombres d'un hôtel de province, puis plus rien.

– Quand elle est morte, je me suis sentie libérée de tous ces au revoir bâclés. Elle avait enfin réussi à partir. Mon père lui aussi a disparu. Mais avant de partir vivre dans le sud de la France, il m'a confiée à une cousine. C'était le même genre d'hôtel en province, tout aussi vaste et sombre, mais presque pas meublé. Et c'est quelque chose qui me plaisait, toutes ces pièces vides.

Lorsque j'ai eu quatorze ans, j'ai quitté cette cousine et j'ai été élevée par ma tante, la comtesse d'Andlau, qui avait une place dans la Maison de la comtesse d'Artois. C'est elle qui me fit épouser à l'âge de dix-sept ans le comte Jules de Polignac. Et… il ne me reste rien à raconter puisque, depuis, tout m'est bonheur.

Gabrielle de Polignac avait ri ; la Reine aussi, sans conviction.

– Votre mère était gentille pourtant de penser à vous lorsqu'elle s'en allait.

– Il est seulement dommage qu'elle n'y ait pensé qu'à ces moments-là. Mais j'ai tort de la blâmer. Je ne connais pas du tout cette femme.

Elles ont songé, chacune pour soi, et Gabrielle a eu soudain une image, lointaine, mais précise.

Elle devait avoir cinq ou six ans, et elle qu'on laissait des journées entières à l'abandon, une femme de chambre avait entrepris de la faire belle. Quand elle avait été bien lavée et coiffée, on lui avait mis une robe blanche, une étoile dans les cheveux, et surtout, là était le prodige, deux grandes ailes. Et on l'avait poussée dans une immense salle où tout le monde dansait. Elle avait eu peur d'abord, mais on avait été plein d'égards pour elle, on la félicitait, on s'écartait sur son passage, on faisait attention à ne pas froisser ses belles plumes. Et le bal s'était terminé. La petite fille était restée plusieurs jours à traîner ses ailes dans les couloirs. Enfin, elle avait rencontré sa mère qui lui avait dit :

« Comment, Mademoiselle, vous êtes encore déguisée ! Ne savez-vous pas qu'un bal masqué, comme toute chose, a une fin ?

– Madame, avait-elle pleuré, je n'ai personne pour m'enlever ces ailes.

– Ce n'est pas si grave, Gabrielle, je vous aiderai, mon ange… »

Et sa mère lui avait elle-même décroché les ailes.

— C'est alors seulement, avait conclu madame de Polignac, qu'une tristesse totale m'a subjuguée. Une tristesse à mourir.

La tristesse était de retour. Elle les enveloppait, ensemble.

À un moment, elles en sont venues à parler des derniers ragots sur la princesse de Lamballe. On disait Louise de Lamballe enceinte. La princesse, pour infirmer cette rumeur, était tout le temps à cheval. Elle en était rompue de douleurs.

— Elle ne devrait pas : elle a le dos fragile.

— Cela fait encore plus mal d'être diffamée. J'ai cru apercevoir cette chère Lamballe tout à l'heure, à la sortie du Conseil. Elle m'a paru, en effet, assez malade. Mais dans cette foule anxieuse qui nous guettait, elle ne faisait pas exception. Il n'y a que vous pour avoir une mine éclatante. Vous êtes une oasis de clarté parmi toutes ces figures de la désolation. Et qui ne le sont pas nécessairement de la compassion.

Gabrielle de Polignac en a profité pour s'excuser d'avoir osé enfreindre la règle du deuil. Ce n'était pas une audace de sa part, mais un geste pour la Reine, afin que celle-ci, dans tout le noir qui l'entourait, puisse, dans l'intimité, se reposer les yeux et le cœur sur une couleur pastel, le vert, la couleur de l'espoir…

— J'ai perdu tout espoir. Cependant cela me touche que vous ayez pensé à moi lorsque vous avez choisi la couleur de votre robe, le vert, ma couleur préférée… Vous vous êtes habillée pour moi… Vous êtes si attentionnée, si généreuse, Gabrielle. Vous êtes près de moi et je me sens moins désolée par l'échec de mes plans. Par l'horreur de la situation. Nous traversons une phase malheureuse. En verrons-nous l'issue ? J'en doute.

Cependant, il faut espérer, vous avez raison. Je dois croire à la couleur que vous portez... vert oasis... presque de la couleur de ce vase... (Et elle a pris sur un rebord de cheminée une coupe de jade. Tout en parlant, elle la tournait et retournait entre ses mains.) Quelle merveille qu'il y ait des couleurs ! Dieu aurait très bien pu créer un monde sans couleurs. Il n'était obligé à rien... Un monde sans couleurs... mais alors comment saurait-on où s'arrête un arbre, où commence le ciel ? Tout serait fondu dans un blanc indistinct. On verrait sans faire de séparation, ni percevoir de limite. Ce serait reposant. Peut-être. Ou affolant... Un éternel jour de neige... À moins qu'il n'eût créé un monde tout noir, un éternel jour de nuit, comme celui d'aujourd'hui...

La Reine détestait le noir. C'était pour elle une couleur néfaste. Mais le noir ne cessait de la reprendre. Malgré les grâces de Gabrielle, malgré le drapé vert pâle de son déshabillé, malgré le plaisir de leur bavardage à bâtons rompus, de cet enchaînement de mots pour rien... Elles aimaient tellement parler ensemble, la Reine surtout, mais peut-être les deux, qu'elles passaient des après-midi entiers et même des soirées en tête à tête au Hameau de Trianon, cachées dans la grotte, ou enfermées dans le petit théâtre or et bleu – le petit théâtre de Marie-Antoinette, son théâtre de poupées. Elles aimaient tellement parler ensemble, parler pour parler, que lorsqu'elles avaient effectivement quelque chose à se dire, il leur fallait beaucoup de temps pour y parvenir. Peut-être même, au fond, n'y arrivaient-elles jamais... Elles aimaient le trajet, non l'arrivée... Mais, à cette heure, un tel luxe leur était interdit.

Je les observais dans cette proximité, la Reine si fascinée par le charme de son amie que, sans s'en apercevoir, elle l'imitait (elle avait soudain le même rythme lent – qui n'était pas le sien d'habitude – ou le même froncement de nez, qui ne lui allait pas du tout, mais était très mignon sur le petit nez, un peu en l'air, de Gabrielle de Polignac, un nez mutin). Et elle prononçait certaines formules pareil, par exemple : « Pour moi, cela m'est égal », une formule de Gabrielle, et qui faisait enrager Diane de Polignac pour qui, en dépit de ses déclarations en faveur des Philosophes, l'égalité n'existait pas. Gabrielle avait une façon définitive de le dire. Elle fermait à demi les yeux, parlait avec une grande douceur : cela lui était égal. Il était inutile d'insister et de l'amener à choisir. Mais « Pour moi, cela m'est égal », prononcé par la Reine, n'avait pas du tout le même sens. C'était même un sens opposé. Elle le disait pour signifier qu'elle boudait et faire triompher quand même son désir. Presque aussi souvent que « Pour moi, cela m'est égal », il y avait une autre phrase typique de son amie, phrase qu'à force de répéter elle avait presque réussi à fixer en devise : « Ce que vous me dites là est au-dessus de ma portée. » Mais cet aveu, la Reine, quel que fut le degré de son mimétisme, se gardait bien de le reprendre à son compte. Gabrielle de Polignac le prononçait, fondant de gentillesse, attentive, penchée vers vous, comme pour vous guider dans cet apprentissage du moindre auquel, par égard pour ses limites si ingénument reconnues, il fallait se plier ; cela lui donnait envie de rire qu'on ait pu la croire tellement plus intelligente qu'elle n'était – lui prêtant ne serait-ce qu'un embryon d'esprit. *Très, très au-dessus de sa portée.*

– Mon Dieu, que le monde est grand, a dit soudain la Reine. Je n'ai même jamais vu la mer, a-t-elle ajouté, peut-être pour obtenir une réaction de Gabrielle que la remarque précédente n'avait guère émue.

– Moi non plus. C'est une chose effrayante, je crois. Très salée et qui rend mécréant.

– Le Roi l'a vue, quand il est allé à Cherbourg. Je ne sais pas s'il l'a touchée. Il ne m'en a rien dit. Il m'a montré la carte pour aller jusque-là. Mais je n'imagine rien à partir d'une carte, tandis qu'à partir d'un arbre ou d'une fleur tout me vient (je songeais à part moi, un tout petit peu consolée, que ce n'était donc pas si grave de m'être montrée incapable de tracer une carte…). Il me suffit de m'asseoir à l'ombre de mon cèdre du Liban pour voyager en Orient.

– Trianon contient l'univers, pourquoi faire l'effort de voyager ?

La question tombait mal. Gabrielle en fut consciente mais ne put corriger cette indélicatesse. La Reine réussit à dire :

– Les gens voyagent parce qu'ils sont blasés sur ce qui se passe chez eux, pour faire des découvertes, ou peut-être seulement pour se rendre compte. Parce que les choses sont différentes sur place… Mais les étrangers, les vrais étrangers, ceux qui viennent de très loin, n'arrivent pas à nous faire sentir cet autre monde… Il faut dire que je n'en rencontre jamais. Je redoute les étrangers. Je pense toujours, comme lorsqu'il était question d'une entrevue avec Voltaire, que vais-je leur dire ?

– Vous oubliez, Majesté, la visite, l'été dernier, au mois d'août, des trois Envoyés de Tipoo-Saëb… Tous les trois minuscules, des Lilliputiens. Lorsqu'ils se courbaient pour saluer, on ne distinguait plus que trois petits turbans…

– Ah oui, les envoyés de Tipoo-Saëb, sultan du Mysore… Leur arrivée avait posé de graves problèmes d'étiquette. L'Introducteur des Ambassadeurs avait consulté des traités. Il n'avait trouvé que ces mots : « Pour les ambassadeurs extraordinaires de Moscovie, Turquie, et autres à qui le Roi veut montrer sa grandeur, rien n'est écrit. » Le Roi avait failli ne pas les recevoir. Il s'était repris parce qu'il avait des questions de géographie à leur poser.

– Où est-ce, le Mysore ? *Le* ou *la* Mysore ?

La Reine eut un geste d'ignorance… C'était curieux, ces êtres, elle avait eu beau les examiner de près, et même les faire représenter en cire pour amuser sa fille, elle n'avait pas retenu leurs visages. Ils étaient trop exotiques pour qu'on s'en souvienne. Ils ne ressemblaient à personne. On ne pouvait pas comparer ; comme leur cuisine, qui brûlait, et c'était tout.

– Ah ! si, quand même, je me souviens confusément de celui qui m'a offert une robe de mousseline. Le premier jour, ils ont eu tous les trois un comportement très correct. Le lendemain, plus rien ne semblait les intéresser. Durant la visite des jardins, ils n'arrêtaient pas de se gratter les mollets…

(Elles ont ri.)

« … Pendant les dix jours qui ont suivi, ils ont vécu enfermés dans leurs appartements de Trianon, en attendant de rentrer *à*… *au* Mysore.

– Ils étaient comme vous. Ils craignaient les étrangers.

– Ils auraient dû craindre encore plus le sultan. À leur retour Tipoo-Saëb leur a fait trancher la tête.

– N'allons jamais à Mysore.

Elles sont restées silencieuses. La Reine a tendu la main à son amie. Et elles se sont tenues ainsi, longtemps, très longtemps, comme s'il n'y avait plus eu aucune urgence, aucune pression, rien à débattre… Cependant il y eut des interruptions, des messages apportés à la Reine, et qu'elle fit mettre de côté pour les ouvrir plus tard. Rien ne brisait leur entente, leur manière unique d'être ensemble.

— La nuit dernière, a-t-elle confié à Gabrielle, j'ai entendu distinctement que l'on chuchotait tout près de moi : « Vas-y, maintenant, elle dépiaute ses diamants. » J'ai senti dans mon cou le souffle d'un assassin. Parfois je me demande si je ne deviens pas folle, si je n'exagère pas la haine qui me cerne.

— Je le pense, Majesté, vous exagérez. La fatigue vous fait voir les choses plus graves qu'elles ne le sont. Et vous ne devez jamais oublier ceci : je serai toujours à vos côtés, pour partager avec vous les épreuves. Je ne vous quitterai pas dans l'adversité. *Nous* ne vous quitterons pas. Vous avez des amis fidèles, et reconnaissants.

En entendant ces mots, la Reine a longuement regardé celle qu'elle appelait « son âme », et qu'elle aimait comme telle. Et c'est en la fixant avec une intensité désespérée qu'elle lui a dit :

— Je n'exagère pas la haine. Je crois, au contraire, que je suis incapable de l'envisager à son vrai degré. Mais je suis certaine d'une chose : je vous ai entraînée dans cette haine. À cause de moi, le peuple veut votre mort. Les Français réclament votre tête. En fait, et c'est cela que je voulais vous dire depuis le début : il s'est passé une chose horrible. Une femme a été poignardée dans sa voiture. Par erreur. Les meurtriers l'ont prise pour vous. Nous sommes cernées, vous et moi. Nous avons été brûlées en effigie à Paris. Désormais, ils ne se contenteront plus de nos effigies. Ils veulent les vraies personnes, ils nous veulent, en chair et en os. C'est pourquoi, ma chère Gabrielle, pour votre salut, et comprenez bien le déchirement que j'éprouve, je vous fais cette prière : quittez la France, partez. Ce que je ne peux réaliser, faites-le. Fuyez, avec votre fille, avec Diane. Si vous ne partez pas, vous serez massacrée. Vous et votre famille. Mais vous d'abord, peut-être même vous seule... Il faut devancer le déferlement de violence qui va s'abattre sur vous.

La Reine a parlé avec beaucoup de prudence et d'émotion. Elle a risqué cette proposition, qu'elle sait inacceptable, et s'attend à devoir combattre les arguments de son amie.

Mais Gabrielle l'a écoutée sans aucun trouble. Loin de protester, elle a saisi l'occasion au vol. Elle était d'accord, ils devaient partir. C'était une décision douloureuse, mais dictée par la sagesse. Ce serait, de toute manière, un départ provisoire, ils seraient bien vite de retour...

La Reine a frémi. Ces paroles si calmes, si dépassionnées, l'atterrent. Gabrielle observe le tremblement des lèvres de Marie-Antoinette. Elle est gênée et détourne son regard. Ce silence, pesant, est intolérable. Juste pour l'amadouer, elle ajoute des mots qui lui semblent anodins, mais qui transpercent la Reine. Enfin, et sans quitter des yeux le bout de ses pieds brodés, elle débite, d'une traite, tout ce dont ils ont besoin pour partir, carrosses, passeports, lettres de change. Les noms, les chiffres, sont précis. Tout est prévu. Le message transmis, Gabrielle lève les yeux. La Reine a la bouche ouverte, avec ses lèvres, vilaines, qui tremblent. Elle a l'air implorant d'une femme que l'on vient de frapper. Gabrielle va ajouter quelque chose. La Reine lui enjoint de se taire. Elle se lève pour s'enfuir. Gabrielle se précipite sur ses pas et se met à gémir ; mais elle s'arrête aussitôt quand la Reine la prend par la taille et pose sa tête sur son épaule. La Reine est très belle à nouveau. Et Gabrielle la supplie :

— Ne laissez pas que je vous abandonne.

– Mais c'est fait, dit doucement la Reine. Vous l'avez fait. Vous m'avez abandonnée.

À la différence de madame Campan, je n'étais pas habituée à me sentir transparente et comme frappée d'inexistence dans une pièce où se trouvait la Reine. C'est pourquoi j'étais terriblement troublée par cette scène, de plus en plus incapable de faire quoi que ce soit sinon d'écouter. C'était pour moi une situation intenable, et je guettais l'instant de m'en aller, pour ne plus entendre, pour ne plus voir. La duchesse de Polignac s'était retirée. Sa révérence m'avait semblé un peu moins légère qu'à son arrivée, mais c'était peut-être une illusion…

La Reine sanglotait. Comme pleurent les enfants, dans la brutalité d'une peine absolue. Elle était entièrement la proie de son malheur. Madame Campan est venue lui porter des sels et prendre soin d'elle. Je ne savais absolument plus que faire de moi. Pour me donner l'air occupé, je m'attardais à pousser une malle dans un débarras. Je progressais à pas de fourmi. Je ne quittais pas de l'œil madame Campan qui cherchait à apaiser la Reine, à la consoler. Mais, dans un sursaut, la Reine s'est levée, a saisi la coupe de jade et l'a précipitée contre un miroir. La pièce était constellée d'éclats de verre. Il ne nous restait plus qu'à les balayer, en faisant bien attention, madame Campan et moi-même, à ne pas nous couper. « Tétigué, quelle journée ! s'est-elle plainte, balayer n'a jamais fait partie des tâches qui me sont attribuées – que je sache. »

J'ai assisté à cette scène entre la Reine et Gabrielle de Polignac et, sans la présence de madame Campan, j'aurais cru l'avoir rêvée… Comme cette autre scène, des mois, des années plus tôt ?… C'était au Petit Trianon, dans le salon de musique du rez-de-chaussée, et il y avait aussi un témoin avec moi, le baron de Besenval. Tous deux muets, nous n'osions bouger. Gabrielle de Polignac était couchée sur la Reine. Elle lui plaquait les deux bras ouverts au sol. La Reine se débattait sous le corps de son amie. Elle essayait de lui faire quitter sa place victorieuse.

– Dites-le, lui disait Gabrielle, tout essoufflée, dites-le. Dites : Vous avez gagné, vous êtes la plus forte.

– Je refuse. Je ne dirai jamais une fausseté pareille. Vous êtes une cruelle. Vous employez des moyens éhontés…

Et elle fut prise d'un fou rire qui la rendait incapable de la moindre défense. Mais, alors que Gabrielle à son tour gagnée par le rire avait relâché sa prise, la Reine libéra une de ses mains et opéra un renversement soudain.

Le baron de Besenval les observait sans rire. C'est peut-être la conscience de cette présence masculine, attentive, silencieuse, qui leur fit cesser le jeu.

La Reine s'est relevée, soudain grave, et dit :

– Vous demeurez la plus forte pourtant. Je l'admets.

– Je ne veux pas de votre pitié, dit Gabrielle d'un ton languissant. Que Sa Majesté veuille bien m'épargner Sa magnanimité.

– *Magnanimité,* a répété la Reine avec application, comme si elle découvrait un mot nouveau.

Elles étaient sérieuses toutes les deux et ont quitté le salon sans nous accorder aucune attention. Le baron de Besenval brûlait de les suivre. Il a fait quelques pas vers elles, mais s'est repris. Alors il s'est tourné vers moi, très insolent, arrogant : « Eh bien, belle lectrice, qu'en dites-vous ? » Il aurait aimé, je l'ai senti, se venger sur moi du mépris des deux amies ; je me suis dérobée.

« Vous êtes la plus forte », cela ne faisait, hélas, que se confirmer. Ce n'était pas tant la force de Gabrielle de Polignac qui apparaissait (elle était seulement, une fois de plus, la commissionnaire de son époux et de Diane) que l'incroyable faiblesse de la Reine en face d'elle. À peine les demandes de Gabrielle exprimées, elle n'avait plus qu'un souci : les satisfaire... Je ne savais plus vers qui me tourner. J'étais épuisée, découragée. Honorine, accaparée par son service chez madame de La Tour du Pin, était invisible. Jacob-Nicolas Moreau devait être dans son cabinet à travailler. Je me livrais sombrement à la suite des événements. Les horaires étaient bousculés, mais l'étiquette, tant bien que mal, était respectée. Je n'en augurai cependant rien de bon.

La messe en la Chapelle du château (trois heures de l'après-midi).

Il y eut la messe puis le déjeuner. Auparavant le Roi s'était rendu chez la Reine. On était en train de la maquiller.

Lors de la visite du Roi, me raconta madame Vacher, une des femmes de la Reine pour laquelle celle-ci avait une estime particulière, il ne se produisit rien de très remarquable. Le Roi annonça la température qu'il était allé constater en fin de matinée. Il était tout couvert de poussière. Une toile d'araignée pendait au-devant de son gilet. C'est qu'en sortant du Salon d'Apollon, il était monté au grenier. La Reine ne cacha pas son exaspération de le voir dans un tel état. Elle ne supportait pas cette manie qu'il avait de se promener sous les combles. Elle détestait ce qu'elle appelait ses « promenades de prisonnier ». Le Roi, lui, y tenait, comme à ses promenades sur les toits du château. C'était sans doute, avec le temps consacré à la chasse, aux travaux manuels et aux repas, les rares moments où il se sentait soustrait à la surveillance des courtisans. Mais il avait préféré ne pas discuter. La querelle s'était donc éteinte très vite. Ils avaient alors reconsidéré la question du départ. Le Roi qui, au Conseil, avait dit non, se demandait s'il n'était pas encore temps de changer d'idée... Alors que la Reine, qui avait défendu avec fougue son projet et avait eu tant de peine à y renoncer, hésitait à revenir sur cette décision... Les bagages étaient défaits, les tenues de voyage n'étaient pas prêtes, aucun carrosse de la taille et du confort nécessaires n'existait, quant aux gens susceptibles de les accompagner, ils n'avaient pas été nommés... Partir sans suite, en catimini... Il y avait dans tout cela quelque chose de hâtif et d'improvisé qui n'avait pas grande allure. Le Roi, au fond, était d'accord... Ils devaient rester. Mais c'était la Reine, alors, qui, incertaine, pensait tout haut que partir était peut-être leur seul salut... Enfin le Roi a posé une question :

– Cela veut-il pour vous, Madame, dire quelque chose ? J'ai appris – c'est monsieur de Noailles qui me l'a confié à mon coucher – que le peuple ne veut pas seulement du pain, il veut aussi le pouvoir. À ce point d'insanité, j'avoue, je suis confondu. Je croyais jusqu'à maintenant que le pouvoir était un poids de devoirs et de responsabilités dont on héritait, et que l'on acceptait par humilité et respect pour Celui qui nous avait désigné. Une sorte de malédiction dissimulée sous un manteau d'hermine. Me serais-je trompé ? Y aurait-il quelque chose de désirable dans le pouvoir ?

À la messe, je remarquai une langueur excessive dans les mouvements et dans les prières mêmes. L'assemblée, d'ailleurs assez réduite, paraissait exténuée. Le Roi et la Reine se montrèrent d'une piété et d'une dignité exemplaires ; ainsi que Monsieur, mais le comte d'Artois fut distrait. C'était assez dans ses habitudes. On célébra saint Camille de Lellis, pour lequel, eu égard à ses tantes qui lui portaient une dévotion particulière, le Roi avait de l'affection. Fondateur de l'Ordre des Pères de la Bonne Mort, Camille de Lellis était, au fil des années, devenu un saint très vénéré des deux vieilles dames. Elles possédaient dans des sachets quelques pincées de la poudre extraite des pierres de la cellule du religieux. Elles n'y avaient pas encore touché. Elles attendaient d'être vraiment malades pour le faire. Elles auraient peut-être pu ce jour-là, car les filles de Louis XV semblaient d'une fatigue extrême. Elles ne dormaient plus. Elles se plaignaient d'être entourées de comploteurs, et même d'être à portée d'entendre des discours contre la royauté, qui venaient des pièces en entresol, juste au-dessus de leurs appartements au rez-de-chaussée. Ce qui, ajoutait madame Adélaïde, les exposait en première ligne. « Ils » n'auraient qu'à briser les carreaux et « ils » seraient chez elles… Mais, au fait, où étaient-« ils » maintenant ? Ma fragile confiance du matin s'était envolée. Mendiants, brigands, déments, ils approchaient, c'était certain. Leur armée ne cessait de grossir de nouvelles recrues. Des femmes, des enfants les rejoignaient. Ils avaient pillé l'Arsenal et les Invalides. Ce n'étaient pas les armes qui leur manquaient. Ni la rage. Les femmes de la Halle marchaient en tête, couteau à la main. On chanta à nouveau *Plaudite Regem manibus*. Il n'y eut personne pour applaudir.

Le Déjeuner du Roi, sa terminaison aussi soudaine
que désastreuse (quatre heures de l'après-midi).

Le déjeuner fut servi avec un retard considérable. Le
cortège des viandes du Roi était en souffrance depuis
au moins deux heures dans l'escalier. Pour moi, je
mourais de faim et je n'étais pas la seule dans ce cas.
Mais au lieu de nous empresser d'aller nous restaurer,
au moins une vingtaine de ceux qui assistaient à la
messe ont également voulu assister au Repas du Roi.
Ce n'était pas dans l'ordre de l'étiquette. D'abord parce
que, normalement, certaines de ces personnes n'étaient
pas admises à cette cérémonie, ensuite parce que nous
étions un jeudi, jour de Petit Couvert. Il n'y avait donc
aucune raison de rester, comme nous l'avons fait, obstinément alignés, face à la table rectangulaire, toute de
blanc recouverte, à laquelle le Roi et la Reine s'étaient
attablés. Aucune raison sinon, je parle pour moi bien
sûr, une sorte de superstition, de conduite enfantine et
folle : à partir du moment où j'avais su la Reine décidée
à s'enfuir, j'avais cette peur, dès qu'elle disparaissait de
mon horizon, de la perdre à jamais. Tant que je la
voyais, j'étais non pas tranquillisée, mais dans une
inquiétude supportable. Ce devait être la même chose
pour le reste de cette pauvre assistance. Ils sentaient,
comme moi, leur monde crouler. Voir le Roi ou la
Reine était pour eux un réconfort. C'est sans doute
parce qu'ils devinaient cela que ni le Roi ni la Reine ne
sont intervenus pour nous demander de les laisser en
paix. Le Roi aurait pu nous faire dire : « Mesdames et
Messieurs, passez », il s'en abstint. De toute manière, à
ce déjeuner, l'étiquette devait subir plus d'une entorse.
Notre présence, indue, ne fut pas la pire…

Pourtant tout débuta bien. Le Roi et la Reine se sont assis côte à côte dans la belle pièce bleu et or où avait été mis le couvert. L'Aumônier ordinaire, l'abbé Cornu de La Balivière, a béni la table et Leurs Majestés se sont signées. Puis on leur a tendu une serviette humide et parfumée à laquelle Elles se sont essuyé les mains. Pour la Reine, là s'arrêtait sa participation. Elle ne toucha pas au verre d'eau posé devant elle et ne fit même pas semblant d'avoir besoin d'une assiette. Comme elle ne demandait rien, le valet, derrière son fauteuil, se tenait dans une immobilité totale qui redoublait et rendait encore plus visible la sienne. Triste, les yeux baissés, elle attendait, résignée, que l'appétit du Roi fût satisfait. Elle savait que cela prendrait du temps. Car pour lui, c'était le début d'une fête de la dévoration. « L'appétit de Sa Majesté mérite de passer à la postérité » était la formule qui circulait à Versailles. Et tandis que du côté de la Reine rien ne se passait, du côté du Roi s'ébranla un intense mouvement d'allées et venues. Si un grand nombre de serviteurs du château avaient disparu, la Bouche du Roi était fidèle. C'est ainsi qu'au départ tout me donna une impression d'ordre et de pérennité. Le retard n'avait introduit aucune désorganisation. La cérémonie, toujours grandiose, du Repas royal, promettait encore une fois de ne pas décevoir. Le Roi, paraît-il, avait mangé pour son petit déjeuner, avalé à l'obscur dans la hâte cauchemardesque vers ce Conseil de l'aube, des savates de veau et des côtelettes. Inquiet, et tout en remâchant le dilemme « dois-je partir ou rester », il avait réclamé davantage : « Des savates de veau et des côtelettes, c'est bien peu de chose, qu'on me fasse des œufs à la moutarde. » Six, avait-il précisé. Et une bouteille et demie de vin de Bourgogne. Mais c'était loin déjà. Des heures pénibles, de dures émotions, lui avaient creusé l'appétit. Plateaux, chariots, tables entières couvertes de mets se relayaient. Le Roi dévorait. Entrées, plats de viande et de poisson, architectures de légumes. Premier, deuxième, troisième service. Pièce de bœuf à l'écarlate, potage au riz garni de poularde, hachis de gibier à la turque, faisan d'eau, foie de raie, fricassées d'animelles, langues de lièvre, saucisson de mouton, poulets gras, poulets blondins, poulets à la vestale, beignets de poireaux, de choux-fleurs, océans de petits pois. Il mangeait, buvait, se taisait. Il ne disait mot que pour reprendre du pigeon, de l'anguille et des vives, des écrevisses, de la hure de cochon et des pattes de dindon. Au bout d'un moment, il ne dit plus rien, pâmé, le gilet et la veste déboutonnés, il se contentait de montrer du doigt des monticules tremblants de gelées vertes et blanches, blanc manger et œufs au céladon, des conglomérats de laitances diverses et d'oreilles de lapin de toutes les façons. Un déroulement impeccable, un comblement improbable, sauf que vers la fin, venu le temps du service des mousses et sucreries, il se produisit un incident. Il y eut une inexplicable attente. Personne ne venait enlever les plats. Au bout d'un long moment, le Roi se décida à envoyer le Chef ordinaire du Gobelet pour qu'il s'informât. Celui-ci ne revint pas. Le Roi envoya donc le Garde-Vaisselle du Gobelet accompagné de l'Officier de la Bouche et du Gobelet. Ceux-ci ne revinrent pas davantage. Le Roi, le visage violacé, dit assez bas quelque chose à la Reine, qui répondit à peine. Soudain, comme un météore, est arrivée en courant une créature ébouriffée, et toute barbouillée de suie. Elle n'avait sur elle qu'un jupon sale et un fichu qui lui dénudait les seins. Elle m'apparut une échappée de cette danse du feu, hurlée, sautée, galopée, envolée, qui traversant les siècles et au mépris des secours de la Religion, appelle les sorcières. Elle en était jaillie tout droit, son immonde assiettée au bout des doigts, sa grande bouche édentée, fendue jusqu'aux oreilles, en un rictus pervers. Elle est allée au Roi, qui attendait, entouré de tous ces plats où se détachaient un gros os rongé, une tête de lapin, une pyramide effondrée de soufflé au céleri, quelques carapaces de crabe, des rougets en couronne, des tas d'abats... Elle a jeté devant lui une assiette de fer sur laquelle étaient disposés, en une sorte de crête dominant un tapis d'épluchures de pommes au préalable traînées dans la cendre, des touffes de poils et un rat mort. Elle éclata de rire et disparut. Il y eut du brouhaha dans notre petite assistance. Mais personne n'osa bouger. Le Roi, après avoir examiné plusieurs secondes l'horreur qui clôturait son menu, se leva. Avec difficulté, mais il y réussit.

Comme le matin, au sortir du Conseil, mais d'une démarche beaucoup plus incertaine, il passa au Salon d'Apollon pour s'informer de la température. Le cahier était ouvert à sa place. Mais le valet chargé d'inscrire les chiffres n'était plus là. Restait le grand thermomètre de cristal suspendu à une fenêtre. Le Roi se pencha tout contre pour déchiffrer. Il hésita à inscrire lui-même la température sur le cahier. Ne le fit pas.

La Reine était sortie en direction de ses appartements. Je crus d'abord qu'elle allait chez elle ; en réalité, elle se rendait chez Gabrielle de Polignac.

Nulle part dans les pièces les fleurs n'avaient été changées. On me dit que c'était pareil chez la Reine.

Je suis agrippée par la Panique (six heures du soir).

Cela faisait beaucoup de signes, funestes, qui s'accumulaient. Je remarquai aussi une agitation singulière dans le château, mais je n'y pris pas garde. Six heures du soir, c'était l'heure, normalement, où l'on se retirait chez soi, jouait, faisait de la musique, lisait, et, surtout, où l'on se préparait pour la soirée. C'était l'heure où les parures circulaient entre les mains des élégantes, où débutaient, sur un rythme pressé qui ne cesserait pas jusqu'à minuit et même au-delà, les visites d'une famille à l'autre, d'un appartement ou d'un quartier à l'autre. Plus prosaïquement, en l'occurrence, c'était l'heure, pour moi, de trouver à manger et de voir si Honorine était disponible. Je voulais lui parler de tout ce que j'avais vu : l'épisode du dessert révulsif, surtout, m'effarait.

Honorine était disponible et elle pouvait me donner quelque chose. L'appartement de monsieur et madame de La Tour du Pin possédait cette rareté : une cuisine vaste et à plusieurs fourneaux. Une fois restaurée, je voulus confier à mon amie mes dernières découvertes, mais je ne pus rien dire. Il me paraissait indiscret de lui raconter l'entrevue de la Reine avec Gabrielle de Polignac. Quant à la conclusion du Déjeuner du Roi, j'ai craint, en la rapportant, d'en propager le maléfice. C'est donc elle qui m'a dit les dernières nouvelles de Paris. Nous avons repris la tapisserie inachevée. Dégradés de verts, mousses, fougères, hautes futaies, et du blanc et du brun pour une biche proche d'un étang. Broder a sur moi des effets apaisants : c'est une manière, diurne, de me réciter des listes. Mais alors, avec ce qu'Honorine me contait, le remède n'agissait pas. La victoire rendait les Parisiens délirants. Ils avaient mis à mort les Suisses de la Bastille et même, dans le mouvement, quelques prisonniers. Ils endoctrinaient l'armée, dépavaient la ville, se procuraient partout des armes, fabriquaient des bombes, mettaient le feu au Faubourg Saint-Germain. Ils couraient sur les remparts de la ville en hurlant des chansons assassines. Le prince de Lambesc, chassé par ces furieux, avait rejoint Versailles avec ses officiers.

Je me piquai un doigt, lâchai la tapisserie. Je levai les yeux vers le parc et j'eus cette image parfaitement intemporelle : je vis qui passait, précédé de deux valets de pied, l'antique et paralytique duc de Reybaud. Comme tous les jours à cette heure, lorsque le temps s'y prêtait, il se faisait porter au Bosquet de la Salle de Bal. Monsieur de Reybaud était, pour l'ordinaire, à moitié mort. Il ne lui revenait, du fond de ses prunelles éteintes, une lueur de vie que lorsqu'il pouvait contempler ce chef-d'œuvre de Le Nôtre. Qu'aimait-il tellement dans ce bosquet ? La clarté de l'eau sur les rocailles, la fraîcheur de source, une scène de son passé ? Il était accompagné de sa femme, une très jeune fille, et d'une de ses filles d'un précédent mariage, une vieille femme. J'étais bouleversée.

– Regardez, ai-je dit à Honorine, regardez, là-bas, non loin de l'escalier des Cent Marches, monsieur le duc de Reybaud. Il ignore tout de ces événements calamiteux. Il accomplit sa promenade de chaque jour et de toute éternité. C'est bien lui le plus heureux.

– Peut-être, m'a répondu mon amie (elle était seule, maintenant, à travailler sur la tapisserie). Mais ignorer qu'une chose existe n'a jamais empêché celle-ci d'exister. À Paris, le peuple a pris la Bastille. Il est armé. Plus rien ne peut l'arrêter. À Versailles, l'Assemblée nationale a obtenu deux victoires sur le Roi. Il a renoncé à son armée et congédié ses ministres. Je ne sais pas ce qui se trame au château. Selon madame de La Tour du Pin, rien de bon. La peur de la nuit passée n'a fait qu'empirer. Il n'y a ici aucune voix de chef pour s'élever et ranimer les énergies. Monsieur de La Tour du Pin est résolu à ne pas abandonner le château et à lutter, mais ils ne sont pas nombreux, je le crains, à avoir cette détermination.

Au-dehors, le frêle cortège progressait. À son rythme.

Sans se hâter. À quoi bon en effet ? Ils connaissaient par cœur la destination. Et le Bosquet de la Salle de Bal serait toujours là pour les accueillir. Vide pour les deux femmes et les valets ; animé, bruissant de musiques et de fêtes pour le vieillard qui ne se déplaçait plus désormais que dans sa mémoire… Honorine ne m'avait pas convaincue. Je demeurais partisane de la volonté d'ignorer. À condition de la pratiquer sans faille. *N'en parlons plus, n'y pensons plus* me semblaient capables d'abolir un sujet de trouble… Je réfléchissais à des arguments, mon regard se promenait sur le sommet des arbres, à hauteur de la terrasse de l'Orangerie… Mais… c'était elle à nouveau, la créature déjetée, les cheveux rouges et les bras tendus raides. Elle touchait à peine le sol. Elle avait officié aux cuisines, elle se propulsait dans les jardins. Elle allait en direction du cortège du vieux duc, mais bifurqua avant de le croiser.

– C'est elle ! Honorine, c'est elle, c'est la Panique !

Trop tard pour moi. J'étais passée sous son emprise. Elle filait à la vitesse du désastre, les cheveux trempés dans le sang, sa chair obscène rendue encore plus obscène par son costume en haillons – des haillons de scène de théâtre. Elle avait débouché sur la terrasse, s'était projetée entre les massifs du Parterre d'eau, avait obliqué le long de l'Orangerie, vers le bassin des Suisses, elle remontait vers Latone, fulminante et punitive, tournant le dos au château, n'en finissant pas d'exiger la colère des Dieux. De Latone, elle dévala par le salon de la Colonnade jusqu'au bassin du Char d'Apollon et là, virevoltant sur elle-même, sa vitesse décuplée par le dépit de trouver un espace déserté d'humains, aborda au nord, qu'elle balaya d'un souffle puissant, reconnaissant vaguement sur sa lancée la fontaine de l'Encelade, les amours de l'Île bienheureuse, le large bassin de Neptune, creusé pour des heures plus clémentes. Elle ne s'y arrêta pas et, furieuse de sa tournée, revint sur la terrasse pour reprendre possession du château. Cette fois, elle ne se contenterait pas des cuisines...

La Panique avait foncé en aveugle et omis de se retourner en arrière pour jouir des fruits de sa tempête. Elle n'avait donc rien vu de l'effroi du vieil homme abandonné en haut de l'escalier. Aux premiers déplacements de l'air par la Panique, les valets s'étaient enfuis. L'un d'eux avait failli se faire écraser par une voiture surgie au galop. La femme du duc, presque aussi rapide que les deux drôles, sa robe retroussée jusqu'à mi-cuisse, avait atteint en quelques enjambées la statue de l'Enfant au Sphinx. Sa fille aussi l'avait quitté, mais, rhumatisante et chenue, elle claudiquait très à l'arrière. La Panique ne prend pas le temps. Elle règne dans un trou du temps, où elle précipite tout ce qu'elle happe sur son passage.

Elle l'avait compris dans un éclair. Il n'y avait personne dans le parc. C'est au château qu'il lui fallait revenir, et agir. Là, en revanche, les victimes se pressaient, par dizaines et centaines, tout acquises ; moi la première, je lui appartenais. Ses cheveux dégoûtant de sang m'avaient frôlée. Ce n'était pas une tache, pas même une marque, mais dans le tissu trop fin de ma jupe d'été il y avait un point rouge, comme un défaut de fabrication, l'insertion d'un fil étranger.

J'ai oublié Honorine et ses paroles sensées. Je me suis mise à courir dans tous les sens, à monter et descendre des escaliers. Je revenais sur mes pas, ouvrais brusquement une porte. Je ne reconnaissais plus où j'étais. J'avais envie d'être en verre et de me fracasser. J'avais envie d'être le vase que la Reine avait fracassé. D'être réduite à rien.

Pendant les quelques heures qui suivirent je ne perçus plus la Panique que par ses ravages. Elle cessa de
se manifester en « personne ». À mes yeux, en tout cas.
Car Versailles était si vaste qu'il n'était pas difficile de
lui supposer d'autres champs d'action. Ce qui est sûr,
c'est qu'elle sévissait en liaison avec le peuple rebelle.
Il avait la Panique avec lui, nous l'avions contre nous :
c'est du moins ce que je croyais alors, car j'ai compris
depuis que la Panique agissait *également* des deux
côtés, mais il m'était impossible, dans ce lieu clos et
sans défense, dans ce guet-apens qu'était Versailles,
d'accéder à une telle vision... Cette chose infernale, et
incroyable, d'un peuple assez puissant pour oser s'attaquer à la Bastille et réussir à la faire tomber restait une
sorte de butée dans mon esprit (récemment le comte de
Ségur écrivait à ce propos : « Cette folie, que j'ai peine
encore à croire en la racontant... »). Je me répétais : « Il
s'agit d'un événement naturel. Les Parisiens se sont
armés, la citadelle était mal défendue, ils l'ont prise
d'assaut. Ils étaient assez nombreux, avaient suffisamment de fusils et de canons pour l'emporter. » Ceci,
bien que très pénible, était logique. Le raisonnement
restait sans effet. Je les voyais jeter leur défi contre le
ciel, et c'était lui qui s'écroulait dans le fracas de tonnerre de l'effondrement des tours de la Bastille. Le
peuple avait pris d'assaut le ciel. Et le ciel était tombé.
On disait que depuis le 14 juillet, nuit et jour, ils démolissaient la Bastille. Chantier maudit ! Des gens ramassaient les pierres, les chargeaient sur leur dos et allaient
les vendre en province ! Colporteurs du ciel écroulé. Ils
prétendaient apporter des preuves ! Cette chose, franchement, m'était impensable. J'essayais de penser à
n'importe quoi d'autre pour m'en distraire, mais j'y
revenais. Je ne pensais plus qu'à cela... et ne pensais
rien. C'était un autre mode d'agir de la Panique. Pas

seulement mettre tout le monde en fuite, mais, dans les esprits, confronter chacun à quelque chose qu'il ne parvient pas à penser, et qui substitue à son intelligence un tourbillon.

J'allais et venais, quasi folle. Je ne reconnaissais plus les lieux ni les gens. Je parlais aux visages des tableaux. Il m'arrivait de rire et de me cacher les yeux avec les mains. Je parlais haut. Mais la Panique desserra son emprise. Une force plus puissante intervenait.

Ma vie à la Cour, la constance de ma préoccupation de la Reine avaient développé chez moi, avec l'art de ne jamais manquer une occasion de la contempler, celui, plus mystérieux de percevoir sa présence bien avant de la voir. Tout à coup, je savais qu'elle n'était pas loin, qu'elle allait paraître. Comment cela ? vous le saviez ? de quel savoir ? C'était une chaleur brusque, une faiblesse exquise, un galop à la place du cœur. Les présences autour de moi se brouillaient, reculaient. Elles devenaient un fond vague et indistinct sur lequel soudain (car les signes précurseurs de son arrivée n'enlevaient rien à la soudaineté de son apparition) elle se détachait.

Et c'est ainsi qu'elle se trouva là, magiquement survenue.

J'étais au rez-de-chaussée, dans un couloir sur lequel donnaient plusieurs des appartements occupés par ses amis. La Reine m'apparut de dos. Elle était seule, un bougeoir à la main. Elle se tenait devant une porte. Elle priait qu'on lui ouvrît. Après un temps d'attente, elle essaya auprès d'autres amis. Elle était accueillie, devant chaque porte, par le même silence. Alors elle a perdu patience, s'est indignée, a lancé des reproches. Mais sa voix est tombée lorsque, allant pour secouer une porte, elle a constaté que celle-ci était fermée par un cadenas. Et il y en avait d'autres. Des cadenas posés à la hâte, un peu partout le long du couloir sur les portes blanc et or, comme sur des cabanes de jardinier.

Je connaissais à la Reine deux démarches : celle, officielle, un peu lente, réfléchie, et qui la grandissait ; celle, intime, très vive, mais avec des rondeurs et un léger balancement des hanches qui donnait envie de chanter. Je ne lui connaissais pas cette démarche lourde, un tassement des épaules, et une hésitation, une espèce d'hébétude qui lui entravait le mouvement. La démarche du malheur. De la découverte qu'il y avait un degré supplémentaire à son malheur. Elle avait cru pouvoir s'appuyer sur des amis pour l'aider à supporter l'éloignement de Gabrielle de Polignac, ils ne répondaient pas. Pour la première fois les rôles s'inversaient. Elle leur demandait quelque chose. Elle avait besoin d'eux.

La Reine ignorait l'envers d'obscurité de ces corridors, de ces salons, de ces cabinets. Elle ne s'était jamais de sa vie heurtée à une porte fermée. Elle n'avait même jamais ouvert, ni touché une porte. Il y avait quelque chose d'errant, de perdu, dans sa manière de revenir vers ses appartements. Elle non plus n'avait pas l'air de savoir exactement où elle se trouvait. Elle se hâtait, mais, par moments, s'arrêtait. Elle semblait craindre une menace, toute proche, qui la guettait. Elle a un peu tourné inutilement, mais n'a pu se dérober. Elle venait d'entrer dans le Salon de la Guerre. Elle levait haut son bougeoir, éclairait avec précaution un coin, derrière un paravent. Elle aurait pu aller chez le Roi pour lui demander protection. Elle fit l'inverse. Elle lui tourna le dos. À cet instant, un souffle d'air éteignit sa bougie. Elle se tenait immobile, figée, face au seuil infranchissable de l'immense Galerie. Il n'y avait plus un garde pour annoncer *La Reine*. Plus un courtisan pour s'en émouvoir. Sa présence ne produisait aucun émoi. Tout était suspendu au geste qu'elle n'arrivait pas à faire. Elle fit un pas, recula. Elle était terrifiée devant ce gouffre d'ombre. Elle devait sauter. Se décider à s'avancer seule entre des miroirs vides d'images.

J'entends le frôlement de sa robe contre le parquet, je vois ses doigts chargés de bagues tenant entrouvertes à deux battants les hautes portes. Je sens sa respiration qui s'affole. Devant elle, ondulante, tentatrice et perfide, comme une eau dont l'opacité dissimule des abîmes, s'étend la Galerie des Glaces.

Elle ne sait plus marcher. Seule, elle ne sait pas marcher.

Je pense : Elle ne le fera pas. Elle n'aura pas le courage de le faire. Et la Reine, dans mon esprit égaré, rejoint le paralytique, le vieux duc de Reybaud, oublié dans sa chaise.

Je ferme les yeux.

Je pleure pour elle, pour eux.

« Tout est perdu », disait mon ami. Il avait raison. Tout était perdu, sans recours.

Nuit

L'Historiographe de France est investi par le
Roi d'une mission sacrée : rédiger une Lettre
Pastorale (sept heures du soir).

– La Reine est seule, ai-je dit en pénétrant dans le
cabinet de Jacob-Nicolas Moreau.

– C'est l'apanage de la grandeur, ma chère.

Son ton m'a surprise.

– Vous ne me comprenez pas. Elle est seule devant
des portes fermées. Elle se blesse les mains à essayer
d'ouvrir des cadenas. Elle est seule à l'entrée de la
Grande Galerie.

– Tout ceci est inimaginable et choquant. Et bien
d'autres choses, sans doute, se préparent, aussi inimagi-
nables et choquantes, des prodiges d'horreur, à moins
que…

– Vous l'avez dit, et maintenant j'en suis convaincue : nous sommes perdus, nous entrons dans l'ère du
châtiment.

– Je l'ai dit, mais il y a peut-être moyen d'éviter le
pire, de suspendre le châtiment.

– Par les armes ?

– Non, le Roi est prêt à toutes les concessions pour
éviter une guerre civile. C'est sa seule ligne de conduite.

Il ne veut pas voir ses enfants s'entretuer. Il s'est juré qu'aucune goutte de sang français ne serait versée par sa faute. Il s'en remet à la prière. Les esprits sont en ébullition. Le peuple, séduit, est hors de lui. La vraie question est de savoir s'il est encore temps qu'il rentre en lui-même, revienne à l'amour de Dieu.

– Sans doute… mais il me semble que vous envisagez cette question avec une confiance dont vous étiez très dépourvu tout à l'heure.

– C'est qu'entre-temps j'ai été honoré d'une commande du Roi. Tellement émouvante et caractéristique de sa belle âme que je redoute plus que tout de ne pas être à la hauteur. Mais si je parviens, ne serait-ce que partiellement, à satisfaire l'attente de Sa Majesté, alors le mauvais esprit peut régresser, et la Révolution, qui, comme le nom l'indique, est un mouvement circulaire, nous ramener à un temps d'obéissance. Le peuple sera guéri de cet état de combustion, qui doit être pénible à vivre, et dont, au fond, il se languit d'être libéré. Et la noblesse, sauvée de sa sécheresse de cœur, de son cynisme. Nous traversons une époque de maladie de l'âme, dont personne n'est complètement indemne. Le retour à la piété est l'unique remède.

– Le Roi vous avait déjà honoré d'une commande spécifique, avant la réunion des États généraux.

– … En février dernier, mon *Exposition et défense de notre Constitution monarchique française*. Elle n'a pas obtenu tout le succès que j'en souhaitais. Est-ce mon discours qui manquait de vigueur, mon argumentation qu'il aurait fallu plus serrée ? (Je protestai.) Je ne sais, je la retravaillerai lorsque j'en aurai le loisir. Ce qui m'apparaît maintenant avec certitude c'est que, indépendamment de mes faiblesses d'écrivain, mon erreur profonde était de me situer à un niveau politique, alors que le problème est religieux. La politique est le terrain de l'ennemi. La foi est notre terrain. Je dois trouver les mots capables de faire cesser l'état d'incrédulité qui s'est emparé des Français. Le doute actif et malfaisant qui les mine. Je dois trouver les mots qui abattront « la hardiesse des méchants », selon la sublime expression de Sa Majesté.

– Et quel est cet écrit ? A-t-il un titre ? demandai-je timidement.

– Sa Majesté m'a commandé une *Lettre Pastorale relative à l'Instruction pour les Curés*. Elle sera envoyée à tous les Évêques du Royaume pour être publiée dans leur Diocèse.

– Quelle merveille ! C'est donc à vous que revient de changer le cours de l'Histoire.

Monsieur Moreau en tremblait d'émotion. Il sentait le caractère décisif de cet écrit et combien toute forme de médiocrité devait en être bannie. C'est pourquoi, alors qu'il était d'une nature pudique, il ne put résister au désir de me lire le début afin d'avoir mon avis. Il tenait d'une main sa plume, de l'autre ses feuilles. Il commença : *Instruction pastorale par laquelle seront ordonnées des prières publiques demandées par Louis XVI à tous les Évêques français pour obtenir les lumières qui pourraient éclairer l'Assemblée nationale, et la fin des troubles qui déjà menacent la France.*

À la seule lecture du titre, je me sentis fléchir. Je l'entendis résonner dans l'enceinte sacrée d'une église, proféré du haut d'une chaire. Je ne doutai pas de sa puissance. Je vis toute la France à genoux.

– Vous êtes trop généreuse, Madame, plaisanta l'Historiographe, mais il poursuivit, encore plus ému :

« Vous êtes instruit des actes de rébellion et de brigandage qui se sont exercés dans la Capitale. Si cet esprit de sédition vient à s'approcher de votre Diocèse ou à s'y introduire, je ne doute pas que vous y opposiez tous les obstacles que votre zèle, votre attachement à Ma Personne et plus encore la Religion sainte, dont vous êtes le Ministre, sauront vous suggérer. Le maintien de l'ordre public est une loi de l'Évangile comme une loi de l'État ; et tout ce qui le trouble est également criminel devant Dieu et devant les hommes. »

C'était beau. Beau et convaincant. J'avais admiré son *Exposition et défense de notre Constitution monarchique française*, mais son *Instruction Pastorale* était sans comparaison. Avec cet écrit, dans ce moment de crise religieuse et d'urgence nationale, il atteignait au maximum de son talent. Jacob-Nicolas Moreau s'animait. Il allait et venait entre les meubles dépareillés, se faufilait dans les étroites tranchées que lui ménageait le peu d'espace restant entre les piles de livres. Sa fougue d'orateur ne l'empêchait pas de veiller au respect des piles. Il cheminait dans un labyrinthe de colonnes de papier et déclamait : « Il importe d'être précisément instruit des principes et des effets des émeutes parisiennes. Ceux-ci, mis par vous sous les yeux des peuples, pourront les préserver de la sédition, et les empêcher d'en être les victimes ou les complices. La révolte a été excitée par des hommes étrangers aux paroisses qu'ils venaient subvertir. Ces hommes pervers… »

Mais il s'arrêta net. Il se précipita à la porte et la bou~~la à double tour. Il resta le dos contre la porte, les bras~~ étendus.

– Écoutez, me dit-il, vous n'entendez pas ?

Dans une réaction stupide, je voulus sortir voir ce qui se passait.

– Ne sortez pas. C'est eux. Ils sont entrés dans le château.

Nous sommes restés quelques minutes, l'oreille collée contre la porte. Pour moi qui étais familière des bruits de Versailles, celui-ci était neuf.

– Ils traînent des canons ?

Jacob-Nicolas Moreau avait doucement retiré la clef pour regarder par le trou de la serrure. Ce qu'il avait vu l'avait laissé pantois. Il s'était relevé :

– Nous pouvons sortir. Il n'y a pas de danger.

Il n'y avait, en effet, rien à craindre de cette bande honteuse qui, en essayant d'être la plus discrète possible, aboutissait exactement à l'inverse. Les courtisans déménageaient, ils n'en avaient, manifestement, aucune habitude. En effet, on ne peut imaginer des gens plus empotés, malhabiles, aberrants dans le maniement de meubles et de bagages, de paquets béants, mal ficelés. Ils quittaient Versailles à toute allure ; et pour quelques-uns qui s'enfuyaient les mains vides avec une seule idée : sauter sur un cheval, gagner l'étranger, il y en avait beaucoup, la majorité, en fait, qui reproduisaient, affaiblie, l'indécision du Roi. Ils voulaient partir, au plus vite et sans se faire remarquer, mais ils rechignaient à voyager sans leurs aises. Peut-être se disaient-ils aussi que là-bas, dans cet inconnu où ils se jetaient, ils seraient heureux de pouvoir revendre la console de bois de rose, la statuette de marbre, le porte-parapluies de porcelaine de Sèvres, l'horloge incrustée de saphirs qu'absurdément ils pressaient dans leurs bras, jusqu'à ce que soudain, pour aller plus vite ou parce qu'ils venaient de les fendre contre le battant d'une porte, ils les laissent sur place. Non sans regret. D'ailleurs, certains revenaient sur leurs pas et prenaient l'objet abandonné, qui était souvent un présent du Roi ou de la Reine. C'étaient des disputes, des reproches. Et, comme il n'y avait pas d'enfants à Versailles, les courtisans s'en allaient sans eux, confiants dans le fait que la nourrice qui avait commencé de les nourrir continuerait. Ou bien ils les oubliaient complètement. Devenus féroces, car ils croyaient sentir contre leur gorge la main des révoltés qui les pendaient à la lanterne, certains ne se souvenaient pas même avoir procréé.

Une dame marchait à pas lents. Son mari la devançait. Traversée d'une pensée subite, elle posa le carton à chapeau qu'elle portait devant elle et demanda :

– Et que ferons-nous d'Henriette ?

– Quelle Henriette, Madame la comtesse ?

– Notre fille, Monsieur le comte.

– Je vous en prie, ne mêlez pas tous les problèmes. Il en existe un, immédiat. Le peuple est une menace tangible. Ils approchent. Ils veulent nous tuer. Ils *vont* nous tuer. Nos noms sont sur des listes. Pas plus tard que demain, peut-être, ne restera-t-il rien de Versailles, que des ruines et une jonchée de cadavres : voilà tout ce qu'il restera de la dernière Cour de France. M'entendez-vous bien, Madame ? (il s'exprimait avec grandiloquence et parlait trop fort, comme s'il s'adressait à son épouse d'une extrémité à l'autre de la salle de leur château féodal). Est-ce là le sort que vous désirez ? Mourir ici ? Alors libre à vous, je ne vous force pas à me suivre, mais ne cherchez pas à me retarder par des interrogations oiseuses. Et je vous ferai remarquer qu'Henriette n'est pas notre seule enfant. Vous le prenez bien à la légère, Madame, pour Achille, Modeste, Sosthène et Bénédicte.

La dame a abandonné son carton contre un mur, presque à mes pieds. Et ainsi débarrassée de son bagage et du souci maternel, elle a poursuivi à la même allure que son mari.

La gêne était dans l'accumulation des sacs, des malles, des caisses, des baluchons que l'on traînait et qui très vite, dans ce couloir étroit, avaient commencé d'encombrer le passage.

C'est des gens qui partaient avec bagages que j'ai gardé l'image la plus vive. À cause de leur allure ridicule. À cause d'un mélange d'empressement et d'empêchement, de leur maladresse, touchante, qui se révélait à nu. Par leur seule manière de fuir, ils dérogeaient. C'était peut-être là l'origine de leur honte : non pas s'enfuir, mais qu'il faille s'enfuir dans ces conditions. Sans une tenue de voyage décente, comme le soulignait à son propre usage la Reine, quelques heures auparavant. Beaucoup, cependant, encore plus égarés par le sentiment d'urgence, s'en allaient les mains vides. Il leur semblait que leur vie tenait à un fil, que s'ils tardaient ils allaient périr victimes d'un massacre collectif. C'est à ce moment-là, je crois, que la dernière en date des rumeurs maléfiques nous atteignit : on disait que les souterrains de Versailles étaient bourrés d'explosifs. Le château allait sauter d'une seconde à l'autre. Les jours précédents, la même peur subjuguait les Parisiens : ils étaient persuadés que les royalistes avaient posé des bombes et que Paris allait être soufflé.

La Panique me reprit.

— Ma chère, ne vous affolez pas. Si nous sommes sur le point de sauter, il est trop tard pour prévenir. Nous serons morts dans quelques secondes. Ou bien nous le sommes déjà. Négligeons cette rumeur et rentrons dans mes appartements. Je vais vous lire la suite de mon *Instruction Pastorale*.

— Certains partent sans bagages, sans habits de rechange, sans le minimum nécessaire. Auraient-ils l'intention de rentrer dans quelques jours ? C'est pourquoi ils n'emportent rien.

— Comment pourrais-je vous répondre ? Comment savoir ? Mais c'est peut-être le cas… Nous les verrons revenir bientôt, ceux qui auront échappé à la fureur des séditieux. Pour les autres… Quant à nous, il ne sert à rien de nous exposer plus longtemps dans le passage du troupeau. Nous risquons quelque mauvais coup, et nous en avons appris assez sur l'ingratitude humaine.

C'est juste alors, et comme pour lui en offrir une preuve supplémentaire, qu'il surprit le geste d'un homme arrachant du mur un petit tableau : une *Nature morte aux asperges*. Jacob-Nicolas Moreau ne put s'empêcher d'intervenir.

– Monsieur Moreau, a dit le coupable du ton le plus arrogant, vous êtes un écrivain honnête, un savant respectable, un bibliothécaire remarquable, un moralisateur hors pair, mais je vous pisse à la raie du cul. Vous pouvez noter cela dans vos tablettes pour l'enseignement de la postérité.

J'aurais aimé prendre la défense de l'insulté ; il m'en dissuada. « Laissez, j'ai l'habitude. Mes initiatives ne récoltent généralement que des sarcasmes ou du dédain. » Puis, après un temps : « Ce voyou n'a pas mentionné mes qualités d'Historiographe ! »

Les fuyards empruntaient les chemins les moins exposés. La plupart prenaient par les cours intérieures, les raccourcis, les chemins dérobés. Il y a ce précepte, ancien, de politesse qui recommandait : « En visite, lorsqu'on quitte un cercle, on s'efforce de sortir le plus discrètement possible. On tient à éviter à la maîtresse de maison l'embarras des compliments d'au revoir. C'est pourquoi, souvent, on saisit le moment où d'autres entrent. » Eh bien, je pourrais dire que, d'une certaine façon, à s'en tenir à un comportement extérieur, c'était exactement ce qui se passait. Les courtisans s'en allaient le plus discrètement possible. Ils tenaient à éviter à la maîtresse de maison l'embarras d'un au-revoir. Ils utilisaient même une petite ruse d'usage : s'éclipser à la faveur du bruit de ceux qui entraient. Mais ce n'était plus la politesse qui réglait leurs gestes…

La Panique ignore les pauses, elle ne considère pas les rangs, et ne distingue pas entre un au-revoir et un adieu. Pour elle, il n'est que des issues ou des obstacles. Or, des obstacles, imprévus, allaient surgir.

L'Historiographe avait désormais la force de qui est revêtu d'une mission. Sa position était sûre, inexpugnable (et il garda cette même sérénité, supérieure aux événements, jusqu'au moment de son incarcération à la prison des Récollets à Versailles, en 1793. Alors, par mesure de prudence, il demanda à sa femme de brûler ses papiers compromettants. Celle-ci, dans son affolement, jeta au feu tous ses manuscrits, y compris son journal). Ce calme m'excluait. Sans aucune dureté. Mais j'étais incapable de me hausser et de me tenir à un tel niveau de certitude et de résolution. Je pouvais prier, dans l'ombre, demander secours.. La voix de Dieu ne parlait pas en moi, surtout pour le motif, sacré, d'atteindre, au-delà, le cœur de la France. Elle m'était à peine audible, dois-je avouer. Dans le capharnaüm de ces heures, je ne reconnaissais plus rien de mon univers. Des détails me happaient. Des fragments que je ne pouvais insérer dans un ensemble. J'étais trop près ou trop loin. Était-ce le fait d'avoir constamment vécu dans les livres, ou dans ce paradis d'or et de fleurs qu'était Versailles ? Dans les bibliothèques du château rien ne venait rompre l'alignement des livres, les portes mêmes donnaient l'illusion de faire partie de la bibliothèque. Cette clôture était brisée.

Je voyais et revoyais la Reine frappant à la porte des ses amis. Elle les appelle. Puis elle s'aperçoit que leurs portes sont fermées par des cadenas. Elle titube, va s'évanouir. Elle essaie de se retenir aux cadenas. Elle s'y blesse les mains... Ses doigts chargés de bagues, ses mains qui écartent à deux battants la porte de la Grande Galerie, sont tout écorchés.

Il y a cette brillance d'elle, quelque chose qui ne s'éteint pas. « Vous voulez parler de sa bonté », dit le prince de Ligne, lorsque j'emploie des formules aussi vagues.

Ils s'enfuyaient. Ils prenaient à peine le temps de boucler des bagages. Ils laissaient tout derrière eux. Tout et rien. Ces pièces exiguës pour l'obtention desquelles il s'étaient tant battus n'étaient que des lieux où ils changeaient d'habits. Quatre fois par jour. Sans avoir rien vu venir, ils se trouvaient sous le toit d'un roi vaincu, du côté d'un parti anéanti. Ils voulaient mettre entre cette défaite et eux-mêmes la plus grande distance. Ne pas sombrer dans la catastrophe. Ils désertaient, sans aucun égard pour leurs hôtes. Mais ce n'était peut-être pas si simple. Certains étaient peut-être plus divisés qu'il n'y paraissait.

Cet homme, par exemple, qui, en tenue de cavalier, un sac à la main, n'omet pas, en passant dans la Chambre du Roi, de faire une génuflexion devant le lit de Sa Majesté.

Sauf dans l'avancée des phrases de l'*Instruction Pastorale*, le désordre augmentait. Le bruit s'amplifiait. Le chaos gagnait. J'appris que la sacristie de la Chapelle royale servait de campement. On occupait les confessionnaux. Pardon ? Que dites-vous ? Un campement ? Je me précipitai. Mais je n'eus pas à atteindre la sacristie pour comprendre que de nouveaux éléments intervenaient. Il y avait aux portes, côté ville et côté jardin, de furieux encombrements. Bizarrement, le château qui me semblait le danger même, le piège mortel, ce lieu qui allait peut-être exploser d'une seconde à l'autre et qui, sans aucun doute, allait être assailli et détruit, ne faisait pas cet effet à tout le monde. Pour moi, Versailles était tout entier dans la fragilité. Depuis deux jours nous étions confrontés à notre dénuement. C'était l'unique chose, au fond, que, pendant cette nuit sans sommeil, nos yeux contemplaient. Un constat de cauchemar. Versailles n'était protégé que par ses rideaux, ses tentures, ses paravents. C'était un château de cartes qui s'effondrait, sans bruit, au premier souffle d'hostilité. Rester équivalait à se faire tuer. La fuite éperdue à laquelle j'assistais transmettait en clair ce message. Eh bien, ce guet-apens, cette souricière, était tout à coup envahi d'une multitude d'individus qui cherchaient refuge à Versailles, en « ce pays-ci », comme si, par-delà ses grilles, dans cet autre monde que le château incarnait, ils entraient dans un espace inviolable. J'ai écrit « multitude ». J'exagère. Leur agitation, leur air d'énergumènes me les faisaient prendre pour plus nombreux qu'ils n'étaient. Par rapport à l'exode des « logeants », les réfugiés étaient minoritaires, mais, dans leur avidité à toucher au port espéré, ils ne le cédaient en rien à l'affolement de ceux qui s'enfuyaient. Je vis, à leur allure et à leurs vêtements, qu'il s'agissait de gens de la noblesse. Ils arrivaient en famille pour la plupart, et parfois avec quelques domestiques, fidèles, accrochés à leurs basques dans leur équipée, ou emportés, malgré eux, par la force de l'habitude. Ceux-ci faisaient nombre, passivement. Ils accroissaient encore la difficulté de se mouvoir. Arrivants et partants se heurtaient les uns aux autres, s'affrontaient, arc-boutés, résolus à ne pas céder d'un pouce. C'est par des poussées venues de plus loin que, tout à coup, une résistance craquait. Sur le corps du malheureux passait un groupe de fuyards, ou bien émergeaient quelques réfugiés. Ceux-ci, une fois dépassé le goulet d'étranglement et dans l'illusion d'être enfin à l'abri, se sentaient expansifs. Ils se laissaient tomber sur des fauteuils que des bras s'apprêtaient à soulever. Ils voulaient raconter leur histoire. Et puisqu'on n'était plus au temps des circonvolutions et des à-propos, ils se lançaient, hagards, dans des récits de châteaux en flammes, de pillage, de chasse à l'homme. Le comte de Grisac, député de la noblesse aux États généraux, rentrait chez lui, dans ses terres du Limousin. Il avait été reconnu par ses paysans comme il s'engageait dans le chemin du hameau. Flambée de haine ! Ils brandissaient leurs fourches en criant : « À la lanterne ! À la lanterne, monsieur le comte ! nous allons te crever, te saigner comme un pourceau ! nous aurons ta peau, nous t'arracherons le cœur, nous ferons des nacelles avec tes boyaux. »

– « Nous ferons des nacelles avec tes boyaux » ? Ils ont vraiment dit ça ? demanda, sans se retourner, penchée sur une malle en osier qu'elle essayait de fermer avec une laisse de chien, une jeune femme coiffée d'un immense chapeau.

– Enfin, dans leur patois, bien sûr.

Deux domestiques du château qui traversaient le salon bras dessus bras dessous et en tapant très fort du talon contre le plancher partirent d'un grand éclat de rire (marcher bruyamment était, je suppose, une des leçons des nouvelles *Instructions aux domestiques* du protestant irlandais Jonathan Swift, plus loin, d'ailleurs, j'en aperçus en train de consciencieusement casser à chaque chaise un pied). Le comte avait un visage poupin et des yeux globuleux. Ce rire des domestiques le mit hors de lui ; il se jeta le poing en avant sur les malotrus, qui le prirent entre eux et, en quelques coups, le neutralisèrent. Il alla tomber non loin de la dame à la malle. Elle fit le geste de resserrer sa jupe contre elle, comme pour souligner les limites de son quant-à-soi et qu'elle ne partageait pas les mésaventures du comte échoué. Celui-ci, bien que fort cogné, toujours au sol, ne pouvait s'arrêter de parler. Son visage ne manifestait plus aucune sorte d'émotion, tandis que sa bouche continuait de dire :

– Le petit Pierrot, le fils du métayer, un garçon qui a joué avec mes enfants, a réussi à grimper sur le marchepied, il a brisé la vitre du carrosse. Je le connais très bien, le petit Pierrot, je ne connais que lui, c'est lui, le petit Pierrot, qui, le jour anniversaire de ma naissance, vient me chanter un poème, inventé tout exprès pour moi par mes villageois, car ils ont de l'esprit, ce ne sont pas des butors, du tout…

La dame avait fermé sa malle. Elle se leva et chercha à se glisser par la porte, à nouveau très encombrée. Elle tenta d'abord à petits coups de pied de faire avancer sa malle. Devant le résultat, elle ne tenta plus rien et attendit que le flot l'emportât. Mais rien ne bougeait. Soudain, elle envisagea une fenêtre, à hauteur d'un entresol. Elle se retira du groupe des postulants à la sortie par la porte et me demanda de l'aider à sauter, puis de lui jeter sa malle. J'écartai pour elle un pan des rideaux couleur de miel qui masquaient la fenêtre et elle sauta. Il y eut un fracas, suivi de pleurs.

Chacun voulait raconter son histoire, bien se convaincre qu'il était encore vivant. Je compris ainsi que, s'il y avait des gens qui arrivaient de loin, de châteaux à la campagne – et qui avaient failli périr dans les flammes, ou étripés par leurs paysans –, beaucoup n'arrivaient guère que de Paris. Ou d'encore plus près.

Parce qu'elle parlait haut, qu'elle était rouge et volumineuse, tout à son émotion, une femme qui ne venait, elle, que de Ville-d'Avray et n'avait effectivement que frôlé le danger réussit quand même à intéresser chacun à son épopée. Elle était veuve d'un fermier général et depuis la mort de son époux ne suivait plus les événements politiques. Alors quand, le matin du 14 juillet, un exprès était arrivé de Paris et lui avait remis un billet comme quoi la capitale était en ébullition et une troupe de séditieux partie dans la nuit pour l'enlever, elle et son voisin, monsieur Thierry, le Valet de Chambre du Roi, elle fut époustouflée. Monsieur Thierry, qu'il était plus vraisemblable qu'elle de vouloir enlever, avait déguerpi sans demander d'explication. Elle s'était donc retrouvée seule avec sa fille. Un calvaire ! Elle avait vécu un calvaire. C'était écrit sur le papier, ils voulaient l'enlever, brûler sa maison. Il fallait faire vite. Elle n'avait pris avec elle et sa fille qu'une femme, et laissé tous les autres domestiques sur place. Elles avaient commencé à enterrer la vaisselle, mais finalement, n'y arrivant pas, avaient chargé des domestiques de le faire (« Vous imaginez comme je vais être obéie ! »). Un calvaire ! Ça avait été un calvaire ! Pour tout argent elle n'avait pris que cinq mille livres et un portefeuille de ses papiers précieux… C'était peu pour tenir plusieurs jours ; c'était trop si elle pensait aux voleurs. Or pendant tout le voyage, elle n'avait pensé qu'aux voleurs. Arrivée à Versailles, le supplice avait atteint aux limites du supportable. Car enfin, où allaient-elles coucher ? Trois femmes dont une domestique atrocement louche… Cette gueuse de Jeannon les avait conduites, la première nuit, dans un taudis, et le lendemain, avant de s'évaporer dans les airs, dans un coupe-gorge. Voilà où elles en étaient. Voilà où cette souillasse les avait emmenées. Dans ce galetas, tout était du parti rebelle : les lits de camp, la crasse, les punaises. Regardez, regardez… Elle tendait le menton, qu'elle n'avait pas joli. On commençait de vouloir l'interrompre. Mais son flot de paroles la reprit. Pendant le trajet, elle avait cru mourir cent fois. À chaque fois qu'elle avait rencontré deux ou trois paysans ensemble, ou qu'un marchand lui donnait un coup de chapeau, elle était sûre qu'ils allaient la tuer. Et elle continuait d'en être convaincue. Rien ne lui retirerait cette idée de la tête : ils voulaient la tuer.

– Ils vous ont épargnée cependant. Vous n'êtes point morte, dis-je parce que je n'appréciais pas la façon, dont, troublée par son calvaire, elle s'accrochait à moi, me serrait les mains et me traitait exactement comme on lacère un mouchoir ou sa robe, dans une crise de désespoir.

Ma remarque parut de l'insolence. Les arrivants qui, tout au long de ses jérémiades, n'avaient pas de sympathie pour la veuve du fermier général, tout à coup se liguèrent avec elle. Ils détestaient notre point de vue de protégés. Nous n'avions pas bougé du château. Nous ne savions pas ce qui se passait au-dehors. La preuve : nous étions prêts à nous enfuir et à préférer les attaques des brigands au confort de notre vie de château. Ils avaient vu, eux. Ils avaient le droit de parler. Que nous nous taisions et les aidions. Voilà tout ce qu'ils attendaient de nous.

Je me suis tue. La dame m'a lâché les mains. Sa fille l'a éventée et l'a bien installée afin qu'elle fût mieux à même d'écouter la terrible aventure d'un député de la noblesse. Il commença par donner raison à cette dame. Les routes étaient dangereuses, les paysans armés. Le plus affreux cependant se passait dans la capitale, foyer de l'insurrection, origine de ce torrent de violence qui menaçait tout le pays. Au contraire de la dame, hors d'elle et qui n'avait pas arrêté de gémir, le député avait commencé avec une certaine froideur, comme pour un discours public, bien préparé. Mais, dès les premiers mots, son élan se brisa. Il réussit seulement à balbutier que le peuple avait arrêté le fiacre qu'il avait loué pour revenir de l'Assemblée. Et puis tout avait été très vite :

on l'avait conduit à l'Hôtel de Ville à travers une foule de gens armés. À la Grève, on lui avait montré le cadavre vêtu de noir d'un homme décapité, et on lui avait dit : « Tu vois, là ? c'est monsieur de Launay. Ce qu'il reste de monsieur de Launay. Regarde-le bien, parce que d'ici peu tu seras dans le même état. »

L'homme tremblait, mêlait des mots sans suite. Le sabre qui, d'un coup, fauche la tête, les mains qui vous étranglent, la corde que l'on vous passe au cou : pour eux, c'était tangible, concret. Ils nous traitaient en douillets, en gens d'imagination. Ils s'empressaient de raconter leur histoire pour se rassurer eux-mêmes et aussi pour nous persuader de ne pas sortir, de rester où nous étions, à l'abri. Cela n'y fit rien. Toutes ces horreurs débitées n'empêchaient pas les fuyards de vouloir fuir, et même, plus tard dans la nuit, les arrivants de repartir.

La Panique jubilait. Elle nous tenait tous en son pouvoir. Elle nous manipulait à son gré. La sauvagerie reprenait le dessus. Bien qu'avertis de ce qui les attendait, les partants étaient frénétiques. Ils ne faisaient plus acception de rang, de sexe, ni d'âge.

D'un genou hargneux, un petit-maître bloquait un honorable vieillard. Une altière douairière se voyait balayée par une petite Bourguignonne hurlant sans qu'elle songeât pour cela à revenir sur ses pas : « Ils ont gardé mes parents en otages et égorgé sous mes yeux leur dame de compagnie. » Un duc et pair se voyait ceinturé par un obscur bourgeois qui jusqu'alors n'aurait jamais osé croiser son regard. C'était l'effet du nombre, mais aussi et surtout de la force de révélation qui expulsait avec une formidable énergie les courtisans hors du château. Élan inverse de la passion qui, pendant des années, les y avait tenus enchaînés, incapables de s'en éloigner.

Les arrivants avaient été confrontés à l'horreur. Ils pouvaient témoigner que, à l'opposé de ce que s'obstinaient à répéter certains, l'insurrection dépassait la capitale ; mais ils n'avaient pas entendu, comme ceux qui, épouvantés, quittaient le navire Versailles, le mât craquer, et sous leurs pieds le sol se dérober, obliquer en pente raide vers l'abîme ; ils n'avaient pas vu, à l'annonce que le Roi avait sacrifié son armée et ses ministres, les flots s'ouvrir et des siècles de dynastie y sombrer. La Cour s'était rendue définitivement ce matin-là. La défaite avait eu lieu. Les déserteurs l'avaient éprouvée dans leurs os. Elle les avait libérés du code de l'honneur et ne leur avait pas laissé d'autre ressort que celui de fuir.

Je me déplaçais difficilement au milieu d'un tel désordre. Le château n'avait pas d'entrée digne de sa splendeur, aimait à répéter monsieur de La Chesnaye. C'était plutôt de sortie qu'il s'agissait maintenant… Une fenêtre s'ouvrit avec bruit. Une femme coiffée d'un haut bonnet gaufré se pencha pour accrocher à un volet un perroquet dans sa cage. Sous le choc l'oiseau en restait muet.

On abandonnait les oiseaux dans leur cage, on oubliait que l'on avait des enfants, on rejetait, pour ne pas ajouter un poids de plus dans l'expédition, les petits nègres porteurs d'ombrelles ; ils mourraient de froid l'hiver prochain, et c'était peut-être déjà leur fin qu'ils appréhendaient, figés, les yeux écarquillés. Les chiens sentaient la trahison et aboyaient à la mort. Ils s'engouffraient dans les corridors, déferlaient en meutes dans les escaliers.

La confusion en moi s'aggravait. On me disait de partir. On me suppliait de rester. On me dépeignait le car-

nage au-dehors. On me rappelait qu'ils approchaient.
Le galop d'un cheval dans la cour m'arrêtait le cœur.
La Reine était, paraît-il, descendue chez le Dauphin.
Elle ressentait pour lui une folle inquiétude. Elle avait
donc réussi à franchir seule la Grande Galerie. À moins
qu'elle ne l'eût contournée. Ce que j'avais tendance à
croire. Je me trompais.

Vous êtes la plus forte s'était renversé.

Dernière lecture chez la Reine (de huit heures à
neuf heures du soir).

Je suis passée par la bibliothèque dite « de madame
Sophie » et suis entrée sans bruit dans sa pièce bleu
lavande, la salle de bains de son nouvel appartement,
au rez-de-chaussée. Je l'ai d'abord pensée vide, car je
n'ai pas vu tout de suite la Reine, couchée sur le lit de
repos. Elle était enveloppée dans une robe de chambre
de satin blanc, sous un dais tendu de bleu nuit. Le lit
était haut, étroit, orienté vers les fenêtres donnant sur la
Cour de Marbre. Pour échapper aux regards des curieux
la Reine y avait fait pousser une haie de fleurs et planter un cerisier. Les fenêtres étaient fermées, mais les
rideaux laissés ouverts, car ils faisaient double emploi
avec l'entrelacs de feuillages et de fleurs qui bou-
geaient au-dehors, avec un bruit feutré, un bruit, furtif,
de pas. La Reine était couchée de côté. Elle me tournait
le dos. Elle me sembla immense, très longue, avec de
hautes hanches et des chevilles d'une finesse extraordi-
naire. Je crus voir ses hanches pour la première fois, car
sous l'ampleur des jupes cette partie du corps se dissimule. Et de même que, lorsque j'avais l'occasion de
respirer sa pommade à la fleur de jasmin, j'essayais de
ne pas respirer pour ne pas violer une intimité fantas-

tique, de même j'essayai de ne pas la regarder. Je fis un effort : je détournai les yeux de ce corps de sirène, étendu dans la pénombre bleutée. Je fixai la fenêtre où se mouvaient des ombres noires. Puis je revins à elle. Elle ne dormait pas. Du bout du doigt, elle suivait le dessin des cygnes et des coquillages qui décoraient la boiserie. Elle y mettait toute son attention, exactement comme lorsqu'elle s'absorbait dans la contemplation de son *Cahier des Atours*. Mais maintenant elle semblait plutôt en train de déchiffrer un nouvel alphabet.

– Déposez vos livres, Madame, j'ai avec moi ce que je désire vous entendre lire.

Et elle s'était retournée et me désignait sur une petite table, serrées dans un portefeuille, une liasse de lettres. Il émanait de la Reine une impression de force et de certitude. Et sans qu'elle bougeât, j'avais le sentiment étrange d'une sorte d'apesanteur, de mouvement en spirale. J'étais portée. Toute crainte de troubler son intimité m'avait abandonnée. J'allai prendre les lettres et les lui tendis. Elle choisit sans hésiter. Les lettres étaient classées dans un ordre qu'elle connaissait par cœur. La Reine m'a souri. Elle me fit l'effet d'une géante aimante et tranquille. Je lui baisai la main. Elle m'a souri encore plus gentiment. L'air était d'une légèreté surnaturelle. Je suis allée m'asseoir à une petite table. On avait allumé quatre bougies. Je commençai :

« Madame ma chère fille,

« J'étais hier toute la journée plus en France qu'en Autriche, et j'ai récapitulé tout cet heureux temps d'alors, qui est bien passé. Le souvenir seul en console ; je suis bien contente que votre petite, que vous dites si douce, se rétablit, et de tout ce que vous me dites sur votre état avec le roi. Il faut espérer les effets. J'avoue que je ne savais pas positivement que… (ici je ralentis, n'étant pas sûre de devoir *tout* lire, mais elle m'encouragea à le faire)… vous ne couchiez pas ensemble, je le soupçonnais. Je ne peux trouver que valable ce que vous me dites, mais j'aurais souhaité que vous auriez été à l'allemande, plutôt pour une certaine intimité que cela entraîne après soi, se trouvant ensemble.

« Je suis bien aise que vous comptiez reprendre toute la représentation à Versailles : j'en connais tout l'ennui et le vide ; mais croyez-moi, s'il n'y en a pas, les inconvénients qui en résultent sont bien plus essentiels que les petites incommodités de la représentation, surtout chez vous, avec une nation si vive. J'aurais bien souhaité comme vous que l'hiver aurait mis fin aux voyages de l'empereur ; mais il est tout occupé de se rendre aux Pays-Bas au commencement de mars et rester tout l'été dehors. Cela augmente tous les ans, et cela augmente mes peines et inquiétudes, et à mon âge j'aurais besoin de secours et de consolation, et je perds tout ce que j'aime, l'un après l'autre ; j'en suis tout accablée… »

La Reine s'était un peu relevée contre le dos du lit, toujours dans cette merveilleuse souplesse et ce grandissement évident d'elle-même. Elle a répété pour elle-même : « Je perds tout ce que j'aime, l'un après l'autre… Vienne, le 3 novembre 1780. »

Ces dernières semaines, je l'avais vue tant de fois en larmes, défaite, que je m'attendais à ses pleurs. Au lieu de cela, elle est restée absolument maîtresse d'elle-même. Avec même quelque chose de mystérieusement ravi. Elle s'est appuyée, une épaule contre le mur bleu au motif de cygnes et coquillages. Et à nouveau, ce sentiment, que j'avais eu la première fois où elle m'était apparue, m'a subjuguée. Elle se mêlait à nous par complaisance, par bonté ; en réalité, elle relevait d'un autre ordre de mesure, elle se mouvait dans une autre sphère, celle des statues du parc et des déesses qui émergeaient des bassins. Blanche et longue, une main relevant ses

cheveux, elle flottait devant mes yeux. Et sa voix qui
m'attirait à elle, sa voix qui me demandait d'être encore
plus près d'elle, tout près, redisait avec douceur, mais
sans rien d'hésitant :

– Je perds tout ce que j'aime et j'en suis accablée.
Mais je ne me laisserai pas dominer par cet accable-
ment. Je suivrai, en ceci comme en toute chose,
l'exemple de l'Impératrice ma mère. (Et elle ajouta,
sans transition, comme si elle découvrait juste le revê-
tement de sa pièce de bains et le motif répété de la
décoration :) Le Roi adore les cygnes comme moi-
même.

Puis elle me fit lire non pas une autre lettre de Marie-
Thérèse d'Autriche mais le *Règlement à lire tous les
mois* que lui avait remis sa mère lorsqu'elle avait quitté
Vienne jeune fille. Elle le disait tout haut en même
temps que moi, et rétablissait, sur certains mots, l'accent autrichien. Sa voix n'avait plus trace de douceur.
Âpre et vieillie, elle s'imposait par la terreur. Une
crainte folle m'envahit. Je m'accrochai à la table, ne
terminai pas le texte. Les flammes s'élevaient très haut.
Et dans l'ombre où se tenait la Reine, je ne distinguais
plus rien. Mais cette voix de basse poursuivait : « Vous
vous recueillerez pendant le jour le plus souvent que
vous pourrez, surtout à la sainte messe. J'espère que
vous l'entendrez avec édification tous les jours, et
même deux les dimanches et les jours de fête, si c'est
coutume à votre cour. Autant que je souhaite que vous
soyez occupée de la prière et bonne lecture, aussi peu
voudrais-je que vous pensiez introduire ou faire autre
chose que ce qui est de coutume en France ; il ne faut
prétendre rien de particulier, ni citer ce qui est ici
d'usage, ni demander qu'on l'imite ; au contraire il faut
se prêter absolument à ce que la Cour est accoutumée
à faire. Allez, s'il se peut, l'après-dînée, et surtout tous

les dimanches, aux vêpres et au salut. Je ne sais pas si la coutume est en France de sonner l'angélus ; mais recueillez-vous alors, sinon en public, du moins dans votre cœur. Il en est de même pour le soir ou en passant devant une église ou une croix, sans vous servir cependant d'aucune action extérieure que de celles qui sont de coutume. Cela n'empêche pas que votre cœur ne puisse se concentrer et faire intérieurement des prières, la présence de Dieu étant à cet effet le moyen unique dans toutes les occasions ; votre incomparable père possédait en perfection cette qualité. En entrant dans les églises, soyez d'abord pénétrée du plus grand respect et ne vous laissez pas aller à vos curiosités, qui causent les distractions. Tous les yeux seront fixés sur vous, ne donnez donc point sujet de rumeur, motif de scandale. Soyez pieuse, respectueuse, modeste et docile. Mais surtout pieuse. Enfin, je dirai, pour me résumer, et sûre que si vous ne bougez pas de là, rien de fâcheux n'adviendra : tant que vous pouvez, ma fille, restez à genoux… »

« Allons, il faut que l'on m'habille », prononcé de sa voix normale, dissipa l'ordre qui traversait les siècles, la voix de mère et de mort, qui jamais ne vacille. Elle ne disparut pas, non. Elle était là désormais, je le savais, mais elle ne devait plus se faire audible.

Je dois réunir la famille de Polignac, et presser ces excellents amis de partir. Leur bon cœur les empêche d'obéir. Pour vous, madame Laborde, j'ai également une demande à faire et j'espère que votre bon cœur ne s'y opposera pas. Si je me rappelle correctement, vous m'avez assurée avant hier que vous voyageriez loin, très loin, pour me plaire. Alors, ce n'est pas l'heure de vous en dédire. Faites ce voyage, partez. Vous serez de l'évasion du duc et de la duchesse de Polignac. Et, comme celle-ci est malheureusement trop célèbre et injustement décriée, je vous prierai de prendre son costume et d'occuper sa place dans la voiture. Elle se déguisera, elle, en bourgeoise, en simple dame de compagnie, ou même en servante. L'essentiel est qu'elle passe inaperçue. Et que si, par malheur, votre groupe était arrêté par des Gardes nationaux, madame de Polignac ait la vie sauve.

Il était presque neuf heures du soir. J'avais à peine le temps de prendre quelques affaires avant d'être engloutie par la nuit.

Des gens s'enfuyaient, d'autres arrivaient. Ceux-ci portaient sur leurs visages la trace d'insultes et de coups. Entre s'affoler à l'idée d'être attaqués et se jeter entre les griffes de l'ennemi, il y avait une grande différence.

J'ai regagné ma chambre. Je voulais emporter ce qui me tenait le plus à cœur. Mais à regarder à travers le brouillage de mes larmes ce qui avait été durant toutes ces années le décor intime de ma vie, tout m'en paraissait également précieux. Je ne pouvais sauver le petit vase de marbre blanc sans prendre aussi le fond de papier jaune paille contre lequel s'était détachée la suite de mes bouquets. Je voulais le miroir, parce que c'était le premier que j'eusse possédé, et que je ne m'en étais jamais approchée sans le tremblement du péché. Je voulais le dessus-de-lit brodé qui m'accompagnait depuis le pensionnat, et que l'usure, en certains endroits, rendait transparent.

Enfin, ou d'abord, je voulais garder ma chambre.

Ma chambre du Parfait Sommeil.

Mon cabinet du Couchant et du Levant.

Tout ensemble ma bibliothèque et ma chambre des Bains.

Mon boudoir de Conversations.

Ma chambre iris et blanc. Ma chambre.

J'avais été si éprise d'elle que, certains soirs, j'avais pu la préférer aux plus beaux spectacles sur la scène de l'Opéra du château. En elle, je me reposais avec délices. Je préparais les lectures de la Reine, je lisais, je rêvais, j'égrenais mes listes. Par sa mansarde, je suivais les métamorphoses des nuages. Dans son espace, par son exiguïté même, je me sentais hors d'atteinte. Ce contentement m'avait sauvée de la frénésie du déménagement dont étaient agités les courtisans.

J'aimais, encore endormie, entendre de mon lit le choc des brocs dans le couloir, le son des maniements d'armes dans la cour.

J'aimais aussi, à demi éveillée, prendre un livre, lire quelques pages, me rendormir. C'était souvent Honorine qui venait me réveiller. Nous commencions par rire avant de nous parler.

Mon dessus-de-lit était usé jusqu'à la trame, en proportion du volume de sommeil qu'avec moi il avait traversé. Il portait en surimpression, invisibles à tout autre que moi-même, les mille tracés de ma vie de rêves.

Je n'abandonnerais pas mon dessus-de-lit.

Ni le dessus-de-lit, ni le bougeoir…

Et mes livres ? Je commençai par en remplir mon sac de velours, mais c'était lourd et il ne me restait plus de place pour des vêtements. Je soupesais. J'hésitais. Je sentais bien que dans ce voyage où la Reine me précipitait ma présence ne devait être d'aucun poids. J'abandonnai les livres. Je ne pris que quelques habits que je roulai dans un châle.

Dans mon sac je mis deux chapeaux, des chaussons et une paire de bottines.

Je trouverais le reste sur place.

En quelle place ?

J'allai dire au revoir à Jacob-Nicolas Moreau. Il m'ouvrit, de l'air de quelqu'un qui ne coïncide pas exactement avec ce qu'il fait. Convaincu de la grandeur et de la gravité de sa tâche, il n'avait pas cessé de travailler son discours.

– Mon ami !

Je fondais en pleurs.

Il me prit dans ses bras. Je n'arrivai pas à lui expliquer mon départ. Je ne fuyais pas par peur, mais par devoir. Je ne faisais qu'obéir. Mais à cet instant déjà quelque chose me divisait, me déchirait. J'aurais pu, j'aurais dû éluder cet ordre, m'y soustraire. Et puisqu'il ne s'agissait que de prendre la place d'une autre et de me faire passer pour elle, mon rôle était interchangeable. Que ce fût moi importait peu... J'obéissais trop vite, j'aurais dû m'arrêter une seconde, réfléchir. Mais je n'étais plus en mesure de le faire, j'étais entraînée à une vitesse et par des passions qui m'étaient étrangères... Au lieu d'avouer mes scrupules, je préférai m'enquérir de la *Pastorale aux Évêques de France*.

– Je me suis relu et, je dois l'admettre, sans être aussi enthousiaste que vous, je ne suis pas entièrement dissatisfait. La période a du style, les développements sont pleins de chaleur, une authentique ferveur baigne ces quelques pages. Très exactement ces *deux* pages. Là est le problème. Et, je vous le confesse, mon anxiété est grande. J'ai très peu de temps pour accomplir cette mission. Je suis surmené. Mon septième volume de l'*Histoire de France* m'a exténué. Ma plume, ces temps-ci, se fatigue vite. Tiendra-t-elle le rythme ? Elle doit être véloce et sans réplique. Elle doit prendre de court la propagande des brigands. Il est tôt encore, j'ai une longue nuit de travail devant moi et une bonne réserve de bougies, mais l'énergie commence à me manquer. Ma plume veut du repos.

– Laissez-la reposer et demain…

– Ah ! demain ! Mais que sera demain, chère Agathe ? Où serez-vous ?

Avec mon gros châle et mon dessus-de-lit dans une main, mon sac de velours tout boursouflé dans l'autre, je m'arrêtai, abasourdie. J'essayai encore une fois d'imaginer le monde hors Versailles. Je ne vis rien.

Versailles était ma vie. Et, comme pour ma vie, je ne m'étais jamais vraiment représenté ce que pouvait en être la dernière journée. Ni même qu'il y aurait une dernière journée, avec un matin, un après-midi, un soir, et rien de l'autre côté de la nuit. Rien de connu en tout cas.

La fuite. Ma peur dans les souterrains. Le message reçu par erreur (de dix heures à minuit).

« Il est vrai, et nous en rendons grâce à la Divine Providence : parmi les habitants de ce royaume, c'est une minorité qui s'est jointe à la troupe des séditieux. Ceux qui n'ont point étouffé le cri de la conscience et qui sentent tout le prix du maintien de l'ordre et de la soumission rougiraient de se joindre aux instigateurs d'une révolte aussi criminelle envers Dieu qu'envers les hommes. » Je me répétais les derniers mots de la *Pastorale* en m'empressant de me rendre chez Diane de Polignac – pour rester plus longtemps avec mon ami, pour me donner des forces, pour conjurer le démon de Diane. Celle-ci appelait Dieu « le Grand Jongleur ». Elle était sa complice en souplesse et en acrobatie. Elle trouvait toujours de nouvelles figures et, entre jonglerie et tour de magie, ne faisait pas la distinction. La balle qu'elle lançait dans l'air s'envolait en colombe.

Diane, en temps normal, à Versailles, faisait peur. Je l'avais aperçue qui rôdait toute une partie de la nuit. Ses déclarations ostensibles de fidélité, ses admonestations m'avaient, par comparaison avec la mesquinerie de mes pensées, plongée dans la honte. Puis elle s'était éclipsée et ne s'était plus manifestée durant la journée. Mais il ne m'avait pas été difficile de deviner, à travers la démarche de Gabrielle, quelle était la préoccupation véritable de Diane. Aucun altruisme, pas une ombre de générosité. Le salut de la famille royale, contrairement à ce qu'elle avait voulu nous faire accroire, n'entrait pas en ligne de compte. Elle avait même dû prévoir de s'enfuir dès la nuit du 14 juillet. Son beau discours, c'était pour éviter que le mouvement ne s'amplifie : elle avait intérêt, pour obtenir un soutien entier de la Reine, à ce que son départ soit l'exception, à moins qu'elle n'ait joué la comédie du sacrifice pour le pur plaisir de tromper. Diane n'avait qu'un but : son bien personnel. Elle ne servait qu'une cause : la sienne. Avec une rapacité et un talent uniques. Et voici que, soudainement, je me trouvais embarquée avec ce monstre. C'est sur son rafiau que je me sauvais du naufrage.

Le grand salon où je pénétrai était le lieu d'une activité fébrile ; mais alors que le château donnait partout l'image d'un désordre total, d'une fuite éperdue ou d'un rassemblement chaotique, là on sentait que les personnes présentes n'étaient pas prises au dépourvu. Qu'elles s'étaient préparées, en quelque sorte, à toute éventualité. Celle-ci comprise.

Six ou sept personnes se trouvaient dans la pièce. L'état-major habituel de Diane : le comte de Vaudreuil, le duc de Polignac, le duc de Coigny, l'abbé Cornu de

La Balivière, Aumônier ordinaire du Roi, que sa passion du jeu avait rendu un intime de cette société. Il y avait aussi Gabrielle de Polignac. Elle reposait, alanguie, sur un sofa. Le visage dissimulé sous un éventail. À ses côtés, sa fille, madame de Gramont, regardait avec tristesse son nouveau-né, dont elle devrait se séparer. Gabrielle de Polignac et sa fille représentaient dans l'ensemble de la scène une enclave d'inertie et de mélancolie, vigoureusement contredite par les autres personnages. Au centre desquels gouvernait Diane.

– Je préfère crever plutôt que d'aboutir dans une ville de cure !

Péremptoire, Diane de Polignac se renversa un peu en arrière et croisa les bras. Cet air dur, ce maintien autoritaire, cette brusquerie… je m'affaissais de timidité. Ses mains courtes aux doigts carrés semblaient les parties détachées d'une machine à envoyer des gifles. Elle en était prodigue. Et c'était par crainte et non par respect que ses domestiques évitaient de s'approcher d'elle. Ils lui tendaient les choses à bout de bras, un peu détournés, prêts à l'esquive. Cette vigilance n'empêchait pas les doubles battoirs de leur tomber dessus avec une violence et une précision redoutables qui les laissaient meurtris et convaincus que les coups émanaient d'une puissance démoniaque. Il y avait de cela en elle.

– À Spa ! aboya Diane. À Spa ! Vous voulez nous envoyer ! Il n'y a rien de plus mortifiant qu'un séjour dans une ville d'eau. Ces lieux sentent la rouille et l'œuf pourri. On est à la merci des médecins, ces mufles. J'en connais qui n'hésitent pas à vous déshabiller.

Le comte de Vaudreuil ricana. Il examinait en compagnie du duc de Polignac plusieurs habits de drap sombre comme en portent les marchands. Debout devant une table de billard, appliqué à pousser une boule, l'abbé réfléchissait en même temps aux meilleures destinations. La suggestion d'une ville de cure devait venir de lui.

– Je ne quitterai pas Versailles, où la coutume n'est pas de me contrarier, pour aller me placer sous la juridiction des médecins. Je n'irai pas plus à Spa qu'à Plombières ou Vichy. On n'y croise que des gens qui se prennent pour des mourants. Ils vous persécutent du récit de leurs désordres physiologiques. Ils vous vieillissent de dix ans en l'espace d'une heure. Leur conversation est néant, leur fréquentation insoutenable.

– Je me rappelle pourtant un séjour à Bath… protesta le duc de Guiche.

– Taisez-vous, Mimi. J'évoquais le danger des médecins et de leurs malades imaginaires, pour ne rien dire de l'ennui de la société des putes et des chevaliers d'industrie. Dans les villes de cure sévit la plus vulgaire des sociétés. Sans compter que l'eau empoisonne. Par conséquent pas de Spa, monsieur l'abbé.

L'abbé s'inclina. Celui-ci était un bel homme dans la force de l'âge. Grand chasseur, joueur impénitent, il lui arrivait de quitter la table de jeu pour se rendre directement à l'autel dire la première messe. Des communiants s'étaient plaints d'avoir perçu dans son maniement de l'hostie quelque chose de la dextérité du coupeur de cartes.

– On se fout de la destination précise, continua Diane. Ce qui importe, c'est de s'éloigner. De mettre entre les cannibales et nous une frontière. N'importe laquelle. Au besoin, pour qu'ils aient quelque chose à se mettre sous la dent, nous leur jetterons un os.

(Intérieurement, je frémis ; et le malaise que j'éprouvais à me trouver dans cette société sans foi ni loi s'accentua.)

« J'ai réglé la difficulté essentielle, celle de la voiture et des chevaux. Il faut maintenant penser à notre habillement. N'oublions pas que, même si c'est Gabrielle qui est la première visée, nous sommes tous en danger.

Diane alla s'asseoir dans un fauteuil, qu'elle occupait comme un trône. Habituée à organiser les journées de ses parents et complices, elle n'avait pas de mal à organiser leur exil. Soudain des coups venus d'un appartement proche se doublèrent d'appels au secours.

« Que l'on aille voir », ordonna Diane. Dans le temps d'avant, dont elle n'avait pas encore vraiment compris qu'il était du passé, il suffisait qu'elle jette un ordre, au hasard, il y avait toujours quelqu'un pour l'exécuter. Mais alors personne ne bougea. L'ordre s'était dissous dans l'air, et le vacarme, d'où qu'il vînt, s'amplifia. Diane lâcha les papiers qu'elle était en train d'examiner, regarda autour d'elle, ne vit que des parents, des personnes de son sang et de son rang, des gens qu'elle avait l'habitude de régenter et même de tyranniser, mais qu'on n'envoyait pas voir. Puis elle me découvrit, dans un angle, mon baluchon à la main. « Ah, Madame, pourrais-je vous prier… »

Je me guidai au bruit. Quand j'arrivai devant la porte ébranlée de coups, traversée de cris, j'entendis : « Rondon de La Tour, comte de mes deux, délivre moi, nom de Dieu. C'est moi, La Joie, ton valet. Tu m'as oublié, salaud ! On se tire et on oublie son nègre. Je suis là à suer sur *L'Horoscope contrarié*. Je torche des alexandrins. Je trime. Je m'échine :

Madame, c'est en vain que vous faisant la cour
Naguère, je vous ai parlé de mon amour.
En vain bandant pour vous, mais n'osant vous le dire,
Je crus par des détours pouvoir vous en instruire.

Vous fermâtes l'oreille à mes faibles accents
Et laissâtes brûler mon cœur et mon encens.
Mais les temps sont changés, vous n'êtes plus pucelle,
Quoique sans cesse fraîche, aimable et toujours belle.

« C'est beau hein! hein! HEIN! (il y allait de tout son poids). Tu l'aurais écrit, toi? Non, bougre! NON! NON! NON! Pourtant, c'est de toi. Ce sera de toi. Tu vas le signer et on dira Rondon de La Tour vient de nous trousser un chef-d'œuvre. *L'Horoscope contrarié* est un monument des Belles-Lettres. Écoute, Rondon, putain, tu m'as lâché. Taré! Pourquoi as-tu disparu comme ça, comte vérolé? Bien sûr que je te mettrai une raclée quand tu me détacheras, mais ce n'est pas pour ça que tu as pris la poudre d'escampette. Quelque chose d'atroce se passe… Il y a un silence effrayant dans les turnes. Les tauliers, on dirait, ont été égorgés. Au secours! Au secours! » La porte céda. Et sous elle s'abattit, emporté par son élan, le valet du comte Rondon. Il se taisait enfin, car la table à laquelle il était enchaîné lui était tombée dessus.

Diane, ni personne de son entourage, n'accorda une seconde d'attention à l'incident. La destination était fixée : la Suisse. Comme chaque fois qu'il s'agissait d'une décision grave, l'intelligence stratégique et le sens pratique de Diane de Polignac s'étaient communiqués à son clan. Chacun s'affairait pour le départ. L'abbé fouillait dans une malle. Je revois précisément cette malle rouge juste au-dessous d'un portrait de Madame Adélaïde, toute jeune. La fille de Louis XV posait en grand habit de Cour.

Diane avait revêtu un costume d'homme, de bourgeois, sobre, de couleur foncée, et qui moulait à merveille ses formes trapues. Je regardais avec curiosité ses mollets musclés dont les rondeurs vigoureuses transparaissaient avec netteté sous les bas de coton. Elle prit mon regard pour un hommage et me répondit par un de ces sourires brefs et éclatants dont elle avait le secret et qui constituaient, avec son intelligence, la clef de son ascendant. Cet habit d'homme la rendait à sa vraie nature. La robe, tombée à ses pieds, semblait un habit d'emprunt. Elle la poussa du bout de sa botte. Et je me dis qu'elle avait peut-être déjà, dans sa tête, traité Versailles comme cette robe, qu'elle avait, le temps qu'on lui délace son corset, jeté au panier toutes les années de sa vie à la Cour de France. C'est pourquoi elle arpentait avec impatience le grand salon de son appartement transformé en loge d'acteur, et dans lequel se démenaient les membres de sa troupe, candidats forcés à l'exil. Monsieur de Vaudreuil contemplait d'un œil morne le manteau dont il devait s'affubler. « Teinte boue de Paris, plaisanta-t-il. C'est bien le cas de dire qu'elle est aux couleurs de ceux qui nous chassent. » Monsieur de Polignac, les doigts pris dans la broderie des boutonnières de son gilet, n'eut pas le goût de rire. Tirant avec violence, il déchira d'un coup les attaches de soie. « Et maintenant ? » demanda-t-il en se débarrassant du gilet et montrant une fastueuse chemise de dentelle.

« Ce n'est pas une chemise de négociant », dit Diane de Polignac que cette maladresse exaspérait. Elle seule entendait le pas rapproché du peuple qui criait vengeance. Elle seule était vraiment convaincue que les pamphlets ne mentaient pas.

Mêlé de peur, attisée par l'inexpérience, quelque chose de l'atmosphère des répétitions théâtrales avait repris le clan des Polignac. L'abbé de La Balivière lui aussi avait envie de se déguiser. Il suggéra de voyager habillé en religieuse. « C'est tout à fait de circonstance », remarqua Diane.

Monsieur de Vaudreuil exposait son torse pâle, à la poitrine cave, et, juché sur des chaussures à hauts talons, passait et repassait devant un miroir ; il voulait entraîner Diane dans la parade en la tirant par la main. Puis il se mit à genoux devant elle en signe d'adoration. « Vous êtes impossible », dit-elle, mais elle était séduite. Il se releva, chuchota quelques mots à l'abbé de La Balivière qui revint avec des bouteilles de champagne. La mousse jaillit et nous éclaboussa. L'abbé en mouilla sa guimpe. Des coupes apparurent. « *Fête en l'honneur du rétablissement de la déesse Fortune* », proclama monsieur de Vaudreuil. En un éclair il avait revêtu son costume de négociant, mais il avait couvert de rouge ses joues grêlées et posé un loup sur ses yeux.

« Célébrons la déesse Fortune, c'est d'une importance décisive. La déesse ne plaisante pas. » Une gaieté leur revenait et je voyais sur la physionomie et dans les gestes des trois hommes la même envie de rire, de toucher, de déshabiller, avec le regret qui s'ensuivait aussitôt lorsqu'ils se rappelaient qu'il fallait laisser tout cela, partir. Mais, insistante, l'envie d'une dernière comédie, quelques minutes, juste pour rire, se ravivait.

On tira une table dans le milieu de la pièce pour en faire une estrade. On la recouvrit d'un tapis rouge. On voulut prendre à Diane son trône, mais elle menaça de son épée. On se contenta d'un fauteuil moins prestigieux, que l'on plaça sur la scène. Gabrielle de Polignac s'y assit, un peu allongée, les bras sur les accoudoirs, la tête à la renverse. La Destinée, monsieur de Vaudreuil, se campa en face d'elle. Il souriait. La Fortune, Gabrielle de Polignac, était supposée se ranimer peu à peu. Tandis que, déjà l'échine basse au début de la scène, l'Adversité, l'abbé de La Balivière, fort malade, entre la Destinée et la Fortune, était secoué de

spasmes, et s'étendait enfin raide au sol. Relevée, prête
à enjamber le cadavre de l'Adversité, Gabrielle de Polignac allait s'unir à la Destinée, dont le sourire à force
de se vouloir triomphant commençait à paraître méchant.
Elle avait des gestes de somnambule. Troublée par le
vin de Champagne, elle continuait de tendre sa coupe
et l'on continuait de la lui remplir. Elle dit en mettant sa
tête contre la poitrine de la Destinée : « Quelles sont les
nouvelles ? Pourquoi maintenant y a-t-il toujours à nouveau des nouvelles ? »

Gabrielle de Polignac, encouragée par la Destinée,
opposait à l'Événement sa nonchalance. Monsieur de
Vaudreuil, rêvant à l'absence de la Renommée, enrou-
lait une de ses boucles sur son doigt. C'est alors que la
Reine est entrée. Nous n'avons pas eu à la regarder
pour savoir. Avant qu'elle eût parlé, l'énormité de sa
peine et de sa réprobation nous avait atteints.

« Je vous en supplie, ne vous interrompez pas. La
scène est touchante. Vous la jouez tous deux à la perfection. » Ce n'est pas tant ce qu'elle disait qui pétri-
fiait que le fait qu'elle était entrée sans être annoncée.
Nous la regardions, incrédules, stupéfaits. Diane se
ressaisit la première. Gabrielle courut aux pieds de
la Reine. Celle-ci s'attendrit. Elle articula, dans une
grande douceur : « Il faut songer à votre départ. Il est
provisoire, j'en suis certaine. Vous me reviendrez bientôt, mais actuellement, je vous en prie, hâtez-vous. »

La Reine se baissa vers Gabrielle et la releva. « Lais-
sez-vous faire, Madame. » Dans un silence de mort,
elle ôta elle-même à son amie la robe vert pâle, commença de lui passer un jupon, et voulut même lui enfiler ses bas. C'est elle maintenant qui était à genoux aux
pieds de Gabrielle. Elle avait le visage résolu, fermé.
Une sorte d'énergie, de précision du désespoir l'ani-

mait. Gabrielle, toute blanche et douce, fragile de la nudité d'une fillette, pleurait sans bruit.

La Reine, avec ce goût de la perfection qui s'emparait d'elle dès qu'il s'agissait de vêtements, en était à couvrir d'un fichu les épaules de son amie, lorsqu'une voix de tonnerre annonça la venue du Roi. C'était la même qui avait, au sortir du Conseil, vociféré : « Messieurs, le Roi… » Ce devait être un remplaçant. Nous plongeâmes en révérences. À la remontée, le Roi était au milieu de la pièce, il tenait à la main plusieurs passeports, qu'il tendit à Gabrielle de Polignac. Mais elle, inconsciente, égarée, emportée par la force d'une douleur qu'elle découvrait, ne les voyait pas, ne voyait rien. Les larmes noyaient ses yeux, ruisselaient le long de ses joues, se perdaient en taches sombres sur le fichu grenat. Et la Reine, face à elle, conservait cette expression sculpturale – une expression à la limite de l'humain, ou qui n'était humaine que par l'intensité des yeux, par leur extrême application à voir, pour ne l'oublier jamais, celle qu'elle perdait.

Le Roi, comme chaque fois qu'il se trouvait dans un endroit qu'il partageait avec la Reine, avait été aussitôt happé par sa présence. C'était d'elle que, dans l'amour et l'effroi, il attendait tout. Ce qui dévaluait systématiquement les gestes et les paroles destinés aux autres. Et c'est ainsi qu'il tendit les passeports, avec une émotion sincère, mais qui ne dépassait pas la portée d'un moment officiel. Comme Gabrielle de Polignac ne réagissait pas, il se tourna d'un air incertain vers son mari. Le duc de Polignac s'empressa et se répandit en paroles de remerciement. La petite musique de politesse égrenait ses notes. Diane avait prestement saisi passeports et lettres de change. Oubliée, je passai la robe, fastueuse, de mon déguisement en personne de qualité. À ce moment une clameur, qui, par sa violence, semblait jaillir de tout près, déchira l'air. Un cri, un hurlement qui nous figea.

Nous nous sommes regardés, interloqués. La clameur monta encore plus haut, frénétique, toute-puissante. Le Roi, qui cherchait en vain quelque formule de réponse au duc de Polignac, dit seulement : « Ce sont les députés. Ils viennent d'apprendre mon ordre de rappel de Necker. Demain je me rendrai à Paris. »

Le Roi se tut et resta la tête un peu penchée, en une attitude protectrice qui lui était courante. La Reine se tenait à ses côtés. Elle nous fixait. Soudain, elle eut un frisson, devint très pâle et dit : « Allez. L'heure est passée. » Le Roi nous donna sa bénédiction, tandis qu'elle, tournée de trois quarts vers une fenêtre, sa silhouette claire contre l'ombre touffue des jardins, dit d'une voix sèche, curieusement heurtée d'un accent depuis longtemps enfoui : « Adieu. Je porte malheur à ceux que j'aime. »

À peine avons-nous quitté la Galerie, des couloirs souvent parcourus, la « rue des Noailles », après quelques détours de routine, nous nous sommes perdus. « Mon nom est Dédale », ricana monsieur de Vaudreuil, mais l'envie de jouer s'en était allée. Durant le cours de cette journée, le château s'était peu à peu dépouillé de son aspect familier, en se vidant des personnages qui le peuplaient et en se coupant des rites et des rythmes dont il vivait. Pourtant il était toujours aussi impressionnant. Non plus comme ce miracle de luxe et de raffinement, comme le spectacle grandiose qui m'avait captivée au premier instant et dont je compris plus tard, à la légèreté de mon corps, à l'apesanteur de mes pas, que j'en faisais moi-même partie, mais comme la coque vide d'un désastre advenu. Nous nous efforcions bien sûr à la discrétion. Nous rasions les murs. Nous faisions attention à ne pas cogner de meubles, renverser de vases ou de statues. Nous parlions bas pour nous communiquer les informations indispensables. Le plan dont nous disposions était celui des souterrains. En atteindre l'entrée ne nous avait pas paru faire problème. Cette assurance fut éraflée à la première erreur qui nous conduisit dans un couloir obscur et sans issue. Mais monsieur de Vaudreuil fut si rapide à changer de cap que l'on nota à peine l'erreur. Nous avancions trop proches les uns des autres, d'un pas trop furtif, trop pressés pour ne pas éveiller quelque méfiance chez quiconque nous aurait alors croisés. Mais en même temps, l'allure générale était digne. Spontanément, au sortir de l'appartement et tandis que le danger commençait, par cet automatisme qui faisait qu'à Versailles on ne se pensait jamais à l'abri d'un regard, ils s'étaient sentis prêts à parader. Gabrielle de Polignac, toujours abîmée dans sa peine, avait porté une main à ses cheveux. Elle était gênée de s'exposer en costume de domestique. Diane s'était redressée. Je pouvais la deviner dans l'obscurité avide de recevoir les hommages auxquels elle était habituée. Dans tout le pays leurs noms étaient maudits, leurs têtes mises à prix. Ils s'enfuyaient en catastrophe. Mais, en cet instant précis, c'était encore leur fierté de courtisan qui l'emportait. Elle leur était rendue par la proximité des objets, des salles, qui pendant si longtemps avaient réfléchi leur gloire. Ils n'avaient pas à l'éclairer pour la reconnaître. Toutes ces salles qui chantaient les victoires de Louis XIV avaient servi de décor à leurs propres victoires. Comment cesser d'un jour à l'autre de se croire les maîtres du monde ? Il devait bien y avoir moyen d'intriguer. C'était toujours eux les seigneurs et maîtres, même si, simple concession, ils quittaient la place… Cette conviction était en train de reprendre de sa force. À leurs yeux, elle donnait à leur fuite des teintes de stratégie. Cela n'empêchait, chaque minute comptait. Monsieur de Vaudreuil était complètement perdu. Le duc de Polignac, d'aucun secours. Le découragement gagnait le groupe. Il n'y avait plus trace de fierté courtisane dans leur tenue. C'étaient des fuyards qui couraient à découvert sur le terrain de l'ennemi. « Mais où est-elle, cette issue ? » s'exclama Diane. Elle reprit en main la situation. Il fallait se séparer, quitter, isolés, le château. Elle nous répéta le lieu de rendez-vous et chacun s'éclipsa.

Avant que j'aie pu comprendre, j'étais dans un souterrain. Une vague lumière blême me permettait tout juste d'avancer. Des blocs de pierre dépassaient, et je manquai plusieurs fois de m'y assommer. L'air, très vite, devint difficilement respirable. Il y flottait quelque chose de froid et de suintant qui bloquait le cœur. Et, surtout, l'horreur était dans le grouillement des rats qui passaient entre mes pieds. « Méfiez-vous des patrouilles de gardes et de leurs chiens », avait dit Diane en m'envoyant sous terre. Je priais, intérieurement, pour en croiser. Qu'ils m'arrêtent, qu'ils me fassent n'importe quoi, pourvu qu'ils me sauvent des rats.

J'avais des recommandations. Je les suivis mal et au lieu d'aboutir, comme je le croyais, au niveau d'une entrée privée du Théâtre de madame de Montansier, j'émergeai dans une écurie. Je n'y étais pas seule.

Dissimulée dans l'ombre, je distinguai deux hommes en train de s'affronter. Ils s'étaient précipités en même temps sur un cheval. C'était une bête de belle allure, à la robe brillante. Énervée, elle piaffait et envoyait des coups de pied. Les deux hommes étaient très dissemblables. L'un, en habit de cour, parvenait à contrôler son impatience. Il était prêt à parlementer. Il voulait ce cheval, certes, mais il le voulait dans les formes. L'autre, massif, enveloppé dans un manteau noir, un chapeau rabattu sur les yeux, ne disait mot.

– Monsieur, argumentait l'homme en habit de soie, je

l'ai, j'en suis certain, vu le premier. De peu, je vous le concède. Cependant cette infime avance, dans la situation présente, fort confuse à la vérité, et déplaisante, mérite votre attention.

Aucune réponse ne vint de la part de l'homme drapé de noir. Il ne réagit pas plus qu'une borne sous une couverture. Disert, l'homme rose et brodé, et qui, manifestement, s'était préparé pour des honneurs, tenait à convaincre son rival de son bon droit. Il n'était pas un voleur de chevaux.

– Je ne sais comment mon carrosse, que j'avais laissé dans la Cour du Louvre, s'est envolé. Je dois absolument rentrer chez moi et, sans ce cheval, je me vois mal muni pour le faire. J'avais rendez-vous avec monsieur le baron de Breteuil, un vieil ami et un homme dont la ponctualité…

La masse obscure se déclencha. De la main qu'il tenait cachée sous son vêtement, l'homme envoya un coup de gourdin. J'entendis un bruit immonde. L'homme courtois s'était écroulé, la tête en bouillie.

J'étais, en fait, toute proche de notre lieu de rencontre. Quand j'arrivai, mes compagnons et deux berlines à six chevaux attendaient. La duchesse de Polastron, la marquise de Poulpry, la marquise de Lage de Volude avaient rejoint le groupe. Elles étaient de l'évasion. Les clameurs parfois reprenaient pour saluer la victoire du rappel de Necker. « Parfait. Cet enthousiasme les occupe et diminue leur vigilance », a dit quelqu'un. Monsieur de Vaudreuil nous a quittés. Il partait avec le comte d'Artois, qui s'enfuyait lui aussi dans la nuit, ainsi que le duc de Bourbon, les princes de Condé et de Conti, les Castries, les Coigny, le prince d'Hénin, le comte de Grailly, et tous les membres du gouvernement. Je me sentais empêtrée dans ma toilette de princesse. J'avais une

239

mauvaise soif, la bouche desséchée et amère, la gorge comme du carton. J'osai demander à boire. « Plus tard », a répondu Diane, et elle nous a fait entrer dans une voiture. Elle-même s'est mise sur le siège, à côté du cocher. Je ne l'avais vu que de dos, mais lorsque j'entendis, éructé, « Pt'être », je n'eus plus de doute : c'était Füchs. Gabrielle et sa fille se sont assises sur des strapontins. Monsieur de Polignac et l'abbé se sont rencognés dans le fond, des paquets sur les genoux et à leurs pieds. Je pris la place qui, d'après la répartition des rôles, me revenait. Je m'installai près d'une fenêtre. Au moment où la voiture s'ébranla, il me sembla entendre dans un intervalle de calme, entre les clameurs, une bribe de litanies… *Marie-Amélie, Marie-Anne, Marie-Caroline, Marie-Antoinette, ma Reine*… les noms flottaient, déformés, portés par la voix éraillée de monsieur de Castelnaux, sa pauvre voix d'amour et de folie.

– Celui-là, a proféré monsieur de Polignac en sortant un pistolet, si je l'aperçois, je l'abats.

C'est beaucoup plus loin, et alors que la crainte d'être poursuivi tenait chacun silencieux et tendu, que nous avons été rejoints par un cavalier au galop. La fenêtre était entrouverte. J'allais pour la fermer, quand, sans même ralentir, l'homme jeta un petit rouleau que j'ai attrapé dans la main. C'était un message, un simple feuillet, encerclé d'un anneau d'or. Je défis l'anneau et lus :

« Adieu, la plus tendre des amies. Ce mot est affreux, mais il le faut. Je n'ai que la force de vous embrasser. Marie-Antoinette. »

Je tendis la missive à Gabrielle de Polignac, assise, toute petite devant moi, et dont les larmes coulaient sans bruit, avec une régularité effrayante – comme d'une source étrangère, logée quelque part en elle et avec quoi il lui faudrait désormais coexister.

Vienne, janvier 1811

Je me souviens de notre joie à l'instant où nous avons franchi la frontière suisse. Nous étions sauvés. Ils étaient de l'autre côté. Ils ne pouvaient plus nous faire de mal. Nous nous sommes tous embrassés. Le régiment allemand qui, les dernières heures, nous avait accompagnés a poursuivi sa route. Ils ne savaient pas pourquoi ils étaient venus en France. Ils ne savaient pas davantage pourquoi ils en repartaient. Étrange expédition. Sans combat, sans ennemi… Et moi-même, savais-je pourquoi j'étais là ? À peine passées les embrassades, la joie folle, j'ai tout perçu comme de très loin. J'ai vu les chevaux épuisés, nimbés de sueur et qui tremblaient sur leurs jambes, notre voiture grotesquement surchargée de bagages, et des petits personnages au sol, qui s'agitaient. Ils allaient de l'un à l'autre, s'étreignaient. A la distance d'où je les observais, leurs gestes me semblaient fébriles, incompréhensibles. Füchs n'avait pas bougé de son siège. « Pt'être »… À l'entour ce n'était que prairies, très vertes, belles, abondantes, comme celles de la Ménagerie, en effet. Sauf pour le silence et le vide. Le ciel était gris, presque blanc. J'avais franchi la frontière, celle qui séparait la vie du vide.

Les Polignac, pour se guider, suivaient les indications

de leurs lettres de change. La flèche de leur boussole était fixée sur la direction : argent. Dynamique de l'époque, comme le répétait Diane. Celle qui débutait lui plaisait, tout autant que la précédente. Sans doute plus, car son mouvement était trépidant, son horizon immense. Un monde de guerre convenait à son tempérament. Pour moi fracas et vide sont identiques, et tuer est un fade ingrédient au goût de vivre, c'est pourquoi ceux qui commencent ne peuvent s'arrêter.

Nous avons traversé la Suisse, puis nous avons séjourné en Italie, à Rome, par commodité. C'était un type d'existence flottant. Nous ne nous posions pas vraiment dans ces asiles de hasard. Nous improvisions des campements dans des palais déshabités. Avec Diane et grâce à son génie pour obtenir des expédients, l'exil apparaissait comme un raffinement de l'art de vivre. L'épreuve lui avait donné encore davantage d'autorité, et de méchanceté, et une ampleur de conception qui lui permettait, tout en méditant un traité de d'Alembert, d'obtenir des subsides du Pape, du Roi d'Angleterre, et de l'Empereur d'Autriche. À ses côtés, le comte de Polignac et le duc de Vaudreuil papillonnaient. Gabrielle pleurait. Il était entendu qu'il s'agissait là d'une pose, élégante, mais qui, à la longue, lassait. C'était aussi mon point de vue. D'ailleurs, j'étais moi-même si triste que la tristesse de quelqu'un d'autre, fût-elle Gabrielle de Polignac, ne me touchait pas. Je lisais tout le temps, et seulement pour moi-même. Dans ma tête, ce monologue incessant et muet de mots venus de tant d'histoires diverses achevait de me persuader que je n'en avais pas. Perdue dans cet état d'absence, je n'ai même pas essayé de comprendre pourquoi nous avons quitté Rome pour Venise, puis Vienne, où nous sommes restés. Mais à Vienne le « nous » s'est défait. Le prince de Ligne m'a prise sous sa protection : je ne dépendais plus des Polignac. Ce me fut un soulagement. J'ai continué de les voir en visiteuse, et non plus en cliente.

Pour la première fois depuis longtemps – depuis le temps où je vivais à Versailles – l'hiver m'apparaît comme bénéfique. Le froid au-dehors est féroce. La ville, ses ruines, sont prises dans un bloc de gel. Au moindre rayon de soleil, les branches des arbres, doublées d'une épaisseur de glace, étincellent. « La ville brille », me dit une voisine. Et elle répète *« Der Frost »* avec un air d'émerveillement. « J'irai voir », lui dis-je, bien convaincue d'en être incapable. Mais cela ne me gêne pas. Je suis très bien où je suis. Rien ne me manque. Tous rideaux tirés, le feu allumé, couvertures et édredons accumulés sur moi, je ne bouge pas. Il n'y a que ma main qui glisse sur la page et, sur un fond de flammes légères, une suite de scènes qui se profilent, au présent – toutes également au présent.

J'ai mis de l'ordre là où il n'y en avait pas. J'ai introduit une succession dans ce qui, en avalanche, sous forme chaotique et dévastatrice, me hantait. J'ai fait comme si le calendrier disait vrai. Et au fond, c'est bien le cas, même si cela est terriblement pénible à admettre. Sous le poids de leur gangue de glace des branches se brisent. Les forêts se déchirent. Les murs se lézardent. Dans les maisons aucun feu ne suffit à réchauffer l'air. Même les gens qui ont des cheminées assez grandes pour y dormir sont logés à la même enseigne. Quand je souffle, une buée se dégage de mes lèvres ; et pour me réchauffer les mains, je dois les enfouir sous mes couvertures avant qu'elles puissent reprendre leur petite progression d'insecte.

C'est le début de l'année. On approche de l'époque des bals de la Reine, comme ne manque jamais de le remarquer le prince de Ligne... Les bals de la Reine, il est difficile aujourd'hui de mesurer l'importance de cet événement, la magie de ces mots. La saison des bals de la Reine s'annonçait des semaines à l'avance. Elle était perceptible à chacun, mettait tout le château en fièvre, même ceux, nombreux, qui n'y participaient pas. L'effervescence des préparatifs ne se devinait pas seulement à la multiplication des conciliabules, elle se signalait aussi par la circulation frénétique des enfants-pages. Ils se hâtaient d'un appartement à l'autre, faisaient aller et venir les messages, dans un enchantement d'eux-mêmes, de leurs perruques courtes, de leurs habits à parements brillants. Il se dégageait de leurs petits visages ronds et moqueurs un parfum d'allégresse qui, pour moi, se confondait avec l'essence de lilas dont se parfumaient plus volontiers les pages de la Reine. D'ailleurs, c'était toujours eux les plus remarqués. On les voyait partout avec leur habit de velours rouge à galons d'or. Ils se faufilaient dans la foule, rapides, rieurs. Pour eux, tout était jeu. Ils avaient transformé l'interdiction de courir en une manière plus drôle d'avancer : ils faisaient alterner un pas normal, deux pas glissés. Selon l'urgence des messages, le ciré des parquets, la plus ou moins grande presse, le pas glissé, largement extensible, pouvait leur faire traverser d'une traite l'étendue d'un salon. Les enfants-pages sillonnaient Versailles, sûrs du navire qui les portait, ignorants du vaste océan qui nous entourait. Ils transmettaient avec la même joie d'aller le billet doux et l'ordre d'exil.

Une image demeure symbolique à mes yeux du bonheur des enfants-pages, de cette conscience trépidante de leur Chance. Ils avaient, eux, accès aux bals de la Reine. Ils y faisaient merveille à offrir des sorbets, à raccompagner les dames. Comme moi je n'y avais pas accès et que j'aimais plus que tout les oranges, le jeune de Bigny me donnait rendez-vous à l'aube, à l'entrée du bal, pour me remettre les beaux fruits. Il tenait promesse, mais je le trouvais régulièrement endormi sur les marches, les poches de son habit gonflées à craquer. Je prenais les oranges avec précaution, les déposais dans mon sac. J'en ouvrais une voluptueusement en descendant chercher mon café au Grand Commun. J'apercevais çà et là, dans des carrosses arrêtés pour la nuit, des couples emmêlés.

Par d'autres signes aussi s'indiquait que nous approchions des bals de la Reine. La couturière Rose Bertin avait chaque jour rendez-vous avec Marie-Antoinette. Elles travaillaient ensemble et leurs concertations se matérialisaient en robes merveilleuses. On devinait celles-ci, sans pouvoir les observer en détail, à travers les larges pans de taffetas qui les enveloppaient et leur donnaient l'air de fantômes, de silhouettes perdues à la recherche du charme qui leur rendrait leur vie volée. Les nouvelles robes de la Reine, qui ne devaient faire leur apparition officielle que lors du bal pour lequel elles avaient été créées, voyageaient ainsi voilées, à toute heure du jour, à travers couloirs, boudoirs, petits et grands salons. Sur ordre de la Reine, qui avait sans doute peur qu'elles ne fussent abîmées par l'étroitesse de certains corridors, on ne leur faisait pas prendre des chemins détournés. Ces mannequins surgissaient n'importe quand. Bruissants, vides, ils occupaient une grande place, produisaient des encombrements. Je les nommais, en secret, « les ombres blanches ». On s'écartait sur leur passage, mais avec une mauvaise humeur manifeste. Je n'en ai jamais vu agir autrement en leur « présence ». Et même si le ton était à l'amusement, pour quelques secondes, le temps que passe la précieuse dépouille, les visages prenaient un air exaspéré.

Puis tout recommençait comme si rien n'avait eu lieu. Moi, au contraire, j'éprouvais une affection particulière pour « les ombres blanches » de la Reine. J'aimais me placer dans leur trajectoire, et avancer à leur suite dans l'espace soudain disponible qu'elles frayaient. Rêveuse, satisfaite, je les suivais aussi loin que possible dans leur remontée jusqu'aux Appartements de la Reine. J'attendais un moment après que les portes se furent refermées, pour bien savourer le luxe et la douceur qui en émanaient... Je n'ai donc connu des bals de la Reine que leur ombre et, par la gentillesse d'un page, quelques oranges. C'est peu et c'est immense...

Table

15 juillet 1789

55

16 juillet 1789

115

Journée

Nuit

*

Vienne, janvier 1811

241

Sade, l'œil de la lettre

essai
Payot, 1978
rééd. sous le titre Sade, la dissertation et l'orgie
« Rivages poche », n° 384

Casanova, un voyage libertin

essai
Denoël, « L'Infini », 1985
et Gallimard, « Folio », n° 3125

Don Juan ou Pavlov
Essai sur la communication publicitaire
(en coll. avec Claude Bonnange)
essai
Seuil, « La Couleur des idées », 1987
et « Points Essais », n° 218

La Reine scélérate
Marie-Antoinette dans les pamphlets
essai
Seuil, 1989
et « Points », n° P1069

Thomas Bernhard

essai
Seuil, « Les Contemporains », 1990
et, « Fiction & Cie », 2006

Sade
essai
Seuil, « Écrivains de toujours », 1994

La Vie réelle des petites filles
nouvelles
Gallimard, « Haute enfance », 1995

Comment supporter sa liberté
essai
Payot, 1998
Prix Grandgousier
et « Rivages poche », n° 297

La Suite à l'ordinaire prochain
La représentation du monde dans les gazettes
Livre collectif, co-dirigé avec Denis Reynaud
Presses universitaires de Lyon, 1999

Les Adieux à la reine
Roman
Prix Femina, 2002
Prix de l'Académie de Versailles, 2002
Seuil, 2002
et « Points », n°P1128

Le Régent, entre fable et histoire
Livre collectif, co-dirigé avec Denis Reynaud
CNRS éditions, 2003

La Lectrice-adjointe
Suivi de Marie-Antoinette et le Théâtre
théâtre
Mercure de France, 2003

Souffrir
essai
Payot, 2004
et « Rivages-poche », n° 522

L'Île flottante
nouvelle
Mercure de France, 2004

Le Palais de la reine
théâtre
Actes Sud Papiers, 2005

Chemins de sable
Conversation avec Claude Plettner
Bayard, 2006